目次

臨場

赤い名刺

1

白い首にロープが掛けられた。女の体はぐねぐねとして正体もない。ウエストに回された男の腕が少しでも緩めば、すぐにもカラーボックスの上から床に崩れたがる。

女の眠りは深かった。それでも首の辺りに違和感を覚えてか、眉間に小さな皺を寄せ、んん、と苦しげに鼻を鳴らした。それが合図になった。男は女の体を放し、爪先でカラーボックスを蹴った。

女の体が落下した。いや、次の瞬間にはガクンと宙で停止し、女の眠りは破られた。眼球のすべてを晒《さら》し、歯と歯茎を剥《む》き出し、捩《ねじ》れた舌がそれだけ別の生き物であるかのように迫《せ》り出して蠢《うごめ》いた。そうして蛙の鳴き声に似たものを一つ、胸だか腹だかの深いところから発した。

ぶら下がり健康器の握り棒から直下に突っ張った洗濯ロープは、女の華奢な顎の下に深く噛み込んでいる。床上十五センチほどの宙をペディキュアの光る爪先が小さな弧を描いて彷徨《さまよ》い、その揺れに一拍遅れてロープの結び目が、ギッ……ギギッ……と部屋に軋《きし》み音を響かせる。

女の鼻孔から血の混じった鼻汁が垂れ、上唇に向かって筋を引いた。まもなく痙攣が始まった。下腹部が収縮し、ワンピースの淡い黄色がそのまま染みだしでもしたかのような液体が、するすると太股を伝った。それは膝頭を避けるようにしてふくらはぎに回り込み、フローリングの床に溜まりをつくって臭気を上げた。

男は疎《うと》ましげに見つめ、その視線を壁の時計に移した。午前零時十五分。

女の首筋から脈動が消えた。

男は踵を返し、部屋を横切った。手袋の指先が壁のスイッチを下げた。部屋は深い闇に落ちた。男は手探りで引き戸を開き、廊下に出た。女に振り向き、だが無表情のまま戸を閉じて玄関に足を向けた。

2

L県警本部ビル五階。刑事部捜査第一課の警電44番が鳴ったのは、昼を少し回っていた。

「はい、検視官席」

一ノ瀬《いちのせ》和之《かずゆき》は受話器を肩に挟んで受理簿とペンを手元に引き寄せた。呑み込み損ねた蕎麦が口の中で粘る。

発信元は剣崎中央署の刑事課だった。

アパートで若い女の首吊り死体が見つかった。縊死に間違いないと思われるが、発見者が死体を降ろしてしまっているので念のため臨場願いたい──。

歯切れの悪い臨場要請だった。万一ってこともあるから一応検視官を呼んでおけ。そんな所轄幹部の腹の裡《うち》が言外に匂う。

「わかった。臨場するから詳細を電送してくれ」

一ノ瀬はそう言って受話器を置くと、残りの蕎麦を一気にかき込み、奥の電送室に足を向けた。四十一歳。警部。検視担当の調査官心得となって丸二年。見習い中とはいえ、自殺とほぼ決まりの検視ならば上司の手を煩わせるまでもない。

──すんなりいけば、行って帰って三時間ってとこだな。

女房の誕生日だ。向こうは期待もしていまいが、定時に帰って驚かせてやるのも面白い。いや、書類作成やら何やらで定時は難しいとしても、一ノ瀬の分のケーキが冷蔵庫にしまわれてしまう前にはなんとか帰宅できるだろう。そんな頭で電送室のドアを開いたから、突如目に飛び込んだ、くわえ楊枝の鋭角な顔に一瞬たじろいだ。

倉石義男《くらいしよしお》。五十二歳。『終身検視官』の異名をもつ捜査一課調査官である。体の線は槍のように細い。ふらり昼食に出ていく後ろ姿を見かけたが、戻ったのは気づかなかった。

「臨場か？」

倉石は奥歯に楊枝を使いながら、受信ランプの点灯したファクシミリを顎でしゃくった。

「ええ。剣崎管内です」

「ヤバそうか」

「いえ。首吊りらしいんですが」

「ホトケは？」

「若い女だそうです」

「俺が行こう」

「えっ？」

「目の保養だ。ここんとこ、ジジイやババアばっかりだったからな」

言い放って、倉石はぷっと楊枝を吹き飛ばした。

いちいち驚いていたら倉石の下は務まらない。巡査を拝命以来、鑑識畑一筋。その眼力の鋭さは伝説化しているし、鑑識の総決算とでもいうべき死体の目利きにかけても歴代検視官の中で図抜けている。しこりのように凝り固まった職人気質とやくざな物言いが祟《たた》り、組織の大外を歩いた時期もあったが、それも長い警察人生からみればいっときのことで、警視に昇任して丸七年、初動捜査の要《かなめ》である検視官ポストを他に譲らない。司法解剖を担うL医大の教授たちが倉石を手放さないのだとも囁かれる。従順で腰の低い警察官に慣れきった学者らのことだ、組織の子宮を食い破って現れたような倉石の無頼はさぞや新鮮に映ったろうと頷ける。

部内にも信奉者は多い。倉石が「土産」と称して現場に持たせる鑑識ネタでホシを挙げ、賞を手にした刑事は数知れない。検視の現場で、目から鱗の見立てに出くわした鑑識課員も相当な数にのぼる。それが次々と生徒になる。勝手に倉石を師と仰ぐ。夜廻り記者の間を縫い、教えを請おうと倉石の官舎を訪ねる熱心な若手が跡を絶たない。倉石は、そんな刑事や鑑識課員や記者連中までもそっくり座敷に上げ、酒を振る舞い、麻雀の卓を囲み、時には一同引き連れ夜の街に繰り出し気炎を上げる。店の女と深い関係になり、あわや刃傷沙汰《にんじょうざた》の修羅場もくぐるが、そんなあれこれも琥珀の液体に混ぜこぜにして飲み干してしまっているようなところがある。「男も女も絡み合ってるうちが花じゃねえか。くたばったらステンレス台の上でカエルの解剖にされちまうんだからよ」。

一ノ瀬も倉石の生徒の一人には違いない。夢中で倉石の官舎に通った時期もあったし、下についたこの二年間というもの、書き留めた検視ネタは大学ノート二十冊分にもなる。どう頑張ってみたところで倉石のようにはなれないと思うし、正直、なりたいとも思わない。だが、『終身検視官』を継ぐのは御免だ。今いる「心得」のポストは数年後の警視昇任を約束された数少ないエリート席だ。いずれは刑事部トップの高所から捜査全般の指揮を執ることになる。部下統率の力量を問われるその時こそ、いま蓄積している検視の知識が一ノ瀬の発言に重みと説得力を与えてくれるはずだ。

カタカタと音がして、ファクシミリが用紙を吐き出し始めた。倉石はもう上着に袖を通し、検視道具を詰め込んだバッグの中身をチェックしている。根っからの死体好き。そんなふうにさえ見える。

——だったら行ってもらうか。

一ノ瀬もその気になった。女房はどうかわからないが、定時に帰れば子供たちの歓待は疑いない。

「出たか？」

死者の住所が出始めた時、倉石の催促の声がした。

「ちょっと待ってくだ——」

言いかけて、一ノ瀬は用紙を凝視した。

えっ……？

剣崎市溝木町三丁目二十二番地「ハイツ高山」１０３号室——。

カタカタカタ……。

祈る間もなかった。住所に続いて死者の名前が流れ出た。

相沢ゆかり。27歳——。

血の気が失《う》せた。

住所。氏名。年齢。すべてが合致する。ならばそうなのだ。そういうことだ。

ゆかりが死んだ。

知り合いと事件事故で出くわす。故郷の地で警察官をしている以上、それは避けられない。交通事故。速度取り締まり。選挙違反……。検視担当になってからもあった。農薬で服毒自殺した高校時代の先輩の死体を視《み》た。だが――。

〈フフッ、だったらさあ、変なとこで変な死に方できないね。イッチャンに裸にされて身体中調べられちゃうなんて嫌だもん〉

一年前、ゆかりはそう言って笑った。「ハイツ高山」１０３号室のベッドの中で。一ノ瀬の愛撫に身をくねらせながら。

「どうした？」

「……………」

「おい、イチ」

「……あっ、はい。すみません」

倉石は、横から用紙をひったくると、目の端で一ノ瀬を見た。

「知り合いか？」

「違います」

咄嗟《とっさ》に出た言葉に、一ノ瀬は己《おのれ》の内面を見た。ゆかりの死を悼《いた》んでいるのではない。怯《おび》えているのだ。

〈でもさあ、自殺とかしちゃう人って馬鹿だよねえ〉

〈何でだ？〉

〈だって、ほらあ、こういう気持ちいいことできなくなっちゃうじゃない。ね？　ねえってば。なんとか言ってよ。感じるでしょ？〉

殺されたのではないのか。

奔放《ほんぽう》なあのゆかりが、自ら首を吊って果てる姿など想像できなかった。

自殺を偽装した殺し。もしそうなら倉石が必ず見抜く。捜査本部が設置され、百人からの刑事が一斉に動きだす。その同僚たちの捜査によって一ノ瀬の名前が炙《あぶ》りだされるのだ。犯人ではない。だが、不倫相手を殺した容疑を掛けられたとあらばどうなる。職を追われる。家庭も崩壊だ。それはまさしく、人生を棒に振るということではないか。

一ノ瀬は震える足を二度、三度と拳で叩き、電送室を飛び出した。捜査一課のフロアを突っ切り、廊下で倉石に追いついた。

「調査官――後学のため、私も同行させてください」

3

鼓動は速まるばかりだった。

ハンドルを握る一ノ瀬は、信号待ちの都度、ルームミラーで後方を窺った。記者の尾行を警戒する習慣が身についているのだが、今日は違う。後部座席の倉石を密かに観察していた。腕組みをして目を閉じている。いつもと同じだ。検視に向かう倉石は無駄口をきかない。だが、その内面はどうか。相沢ゆかりの死と一ノ瀬の動揺を結びつけて考えてはいまいか。

道は空いていた。赤灯を回すこともなく国道を飛ばし、県道との交差点を折れた。剣崎市内へ向かう。ゆかりのアパートへ行くのだ。

〈わあ、あたし、おまわりさん大好き人間なんですゥ〉

一年半前。L県警察医会の忘年会の席だった。招かれた倉石が山間部の現場から戻れず、代わりに一ノ瀬が顔を出した。真っ赤なミニスカート姿で現れた宴会コンパニオンの一団。その中でもゆかりは一際目立っていた。ショートヘアのよく似合う、すっきりとした顔立ち。モデルを思わす長い手と脚は宴席を飛び回るたび男たちの視線に追われた。会話の中身はひどく幼稚だったが、α波を発しているとでもいうのだろうか、話していて妙に心地がよかったのを覚えている。

酔っていたのだと思う。請われるまま名刺をやった。ひと月ほどして職場に電話がきた。喫茶店で会ったゆかりはよく喋った。短大は出たものの就職先がなかった。フラワーアレンジメントの資格を取ろうと勉強したがアルバイトがきつくて挫折した。条件のいいバイトを渡り歩くうちコンパニオンに行き着いた。今はそれなりに楽しいが三十歳までには絶対結婚したい──。何度目かの電話で下着泥棒の被害に遭ったと言ってきた。下着と聞き胸がむず痒《がゆ》かった。高鳴りも感じた。下心があったのだ。一ノ瀬は所轄に任せず、のこのこゆかりのアパートに出向いていった。

〈あたしファザコンなのかなぁ、オジサマって感じの人にグッときちゃうの〉

それからは速かった。郊外の目立たないモーテルで密会を重ねた。慣れてくるとゆかりの アパートでも抱いた。初めての浮気に舞い上がった。俺もまだ捨てたもんじゃないと有頂天になった。快楽と鬩《せめ》ぎ合うようにして、沼地だか暗がりだかに引きずり込まれていく危うい感覚があった。若い体に溺れたのは確かだ。死体相手の毎日でストレスを抱え込んでもいた。四十の声を聞き、漠然と感じた老いへの恐れをねじ伏せようとしていたのかもしれない。ことによると倉石の影響もあったか。何事にも型に嵌《は》まらない、あの無頼に対する憧れも心のどこかに潜んでいたか。仕事も家庭もどうにでもなれ。どうせくたばりゃあ、ステンレス台の上でカエルの解剖にされちまうんじゃねえか。

蜜月は半年ほどだった。熱は冷めていた。情を深めるゆかりに恐れをなしてもいた。だが、切れなかった。ゆかりの若さに未練があった。その未練を吹き払ったのは、皮肉なことに、付き合うきっかけとなった宴席の名刺だった。

〈イッチャンの名刺、手帳に貼ってあるんだぁ。しつこいお客さんとかに見せるとね、サーッって引いちゃうの。まるっきり水戸黄門だよね〉

ゆかりに邪気など微塵《みじん》もなかった。わかっていながら一ノ瀬は心底震えた。名刺を返せと迫った。自分でも驚くほど低い声だった。なのにゆかりはぐずった。もう二度と誰にも見せないから。ベソをかきながらそう懇願した。力ずくで取り返すわけにもいかず、だが取り戻せなかった苛立ちが、彼女への嫌悪を増幅させた。危険な女。一度そう思ってしまった不倫相手は、ただ鬱陶しい存在でしかなくなった。

その後、惰性で何度か会った。名刺を人質に取られているので仕方なく会ったというのが本当だった。冷たく当たった。抱かずに帰ったこともあった。別れ話を切り出したのはゆかりのほうだったが、一ノ瀬がそうするしかないところへ追い込んだ。名刺は新しい恋人ができたら捨てる。ゆかりの涙声に渋々頷いた。今は刺激しないほうがいい。そんな計算が働いたのだ。

それきり、ゆかりとは切れた。電話もなかった。銀行のキャッシュコーナーで偶然出くわした時は互いに相当驚いた。いまから二月前のことだ。ゆかりは初めて会ったころのように潑剌《はつらつ》としていた。理由はすぐにわかった。左手の薬指に、小さな赤い石をあしらった金のリングが光っていた。

〈ルビーなんだ。綺麗でしょう〉

〈婚約……したのか？〉

〈うーん、もうちょっとってとこかなあ。イッチャンもきっと名前知ってる人だよ〉

〈俺が知ってる……？　誰だ？〉

〈内緒ナイショ。結婚したら葉書出すね〉

喉まで出かかったが名刺のことは聞かず終《じま》いだった。もう聞く必要などない。そう思いもした。ゆかりのはしゃぐ様は一ノ瀬を安堵させるに十分だった。だが——。

一ノ瀬はハンドルを切って車を市道に回した。もう剣崎市内に入っている。

あの名刺の存在が再び一ノ瀬の脅威となっていた。ゆかりは約束を守ったか。本当に名刺を捨てたのか。手帳に貼ったまま、あの103号室のどこかに放置されているのではあるまいか。

いや、それ以前に彼女の死は自殺なのか、他殺なのか。それが問題だった。

他殺だとしたらひとたまりもない。室内は鑑識のプロ集団の手で隅々まで調べられる。一ノ瀬の指紋が出る。毛髪も採取される。ベッドの隙間に陰毛が潜んでいる可能性だってあるし、携帯電話に名前が残っているかもしれない。名刺などなくとも、一ノ瀬はたちまち有力容疑者に祭り上げられる。

自殺であってほしい。

飢餓にも似た思いが突き上げた。ゆかりが自殺するとは思えないが、しかし、そうであってほしい。自殺と断定されれば指紋や毛髪の採取まではしない。手帳は目につけば捲《めく》られるだろうが、他の人間が見つける前に自分がどうにかしてしまえばいい。できる。現場に入りさえすればなんとかなる。

　車を路地に乗り入れた。瀟洒《しょうしゃ》な二階建ての建物が見えてきた。「ハイツ高山」――。

　一ノ瀬はルームミラーを盗み見た。目を閉じた倉石の顔に、読み取ることのできる感情はなかった。

4

　現場らしい恰好は出来上がっていた。

　ハイツ左手の電柱から道路脇の砂利場にかけて広範に縄張りがうたれ、若い制服が思い詰めたように宙を睨んでいる。奥に寄せたライトバンの中に鑑識の帽子が二つ、その脇には仰々しく赤灯を回した紺色のセダンが停まっている。

　車を降りた倉石は、大きく伸びをして周囲をぐるり見回した。一ノ瀬は平静を装うのがやっとだった。視界の隅に103号室の白いドアがある。

「どうも、ご苦労さまです」

　陽性の声がして、丸い体と顔が近づいてきた。名も丸い。剣崎中央署刑事課捜査係長の福《ふく》園盛人《ぞのもりと》だ。

　一ノ瀬は内心舌打ちした。ああ見えても刑事の腕はいいと評判の男だ。一緒に現場に入れば厄介な存在になる。

その福園はといえば、一ノ瀬のことなど眼中にないといった感じだ。

「校長直々の臨場とは光栄です」

「ジャレるんじゃねえ、福饅頭《まんじゆう》」

「やっ、のっけから饅頭呼ばわりですか」

「死体が降りちまってるのに大げさに縄張って得意になってりゃ、てめえの馬鹿を町内に宣伝してるようなもんだろうが」

「ハハッ、相変わらず厳しいスね、校長は」

倉石を「校長」と呼ぶ者は多い。自分は「倉石学校」の生徒というわけだ。

「まあ、自殺に間違いないとは思うんですけどね」

軽く言って、福園は背後のセダンに振り向いた。その後部座席、顔にハンカチを押し当てた白髪まじりの小さな頭が小刻みに揺れている。

「訪ねてきたおふくろさんが見つけましてね、大家と一緒に降ろしちまったんですよ。気持ちはわかりますが」

ああ、と生返事をしながら倉石は靴にビニールカバーをかけた。

「遺書はありません。けど、おふくろさんが言うには――」

「お喋りはそれくらいにしとけ」

倉石が遮った。予断は無用。まずは死体だ。そう言っている。

「じゃあ、とりあえず拝んでみますか」

「谷田部《やたべ》のジイさんは来てるのか」

「ちょっと遅くなるそうです。どっちみち、若先生のほうでしょうけどね」

谷田部敦《あつし》は市内の開業医だ。古くから剣崎中央署の警察医をしているが、肝臓をやられ、ここ二年ほどは跡継ぎ息子の克典《かつのり》に任せきりだ。

「来るまで待ちますか」

「始めちまおう。鮮度が落ちる」

警察医などお飾りだと言っている。その倉石に続いて福園が縄をくぐった。一ノ瀬は少し距離をとって追った。死体になった相沢ゆかりと対面する。二人の背後で息を潜めている以外の自分を一ノ瀬はイメージできずにいた。

103号室――。手袋をはめた倉石がドアノブを回して引いた。ドンとドアが音を立て、だが開かない。建て付けが悪いと思ったのか、倉石は力を込めてもう一度ドアを引いた。ドン。

「押すんじゃないんスか」

「馬鹿言え」

言いながら倉石が押すと、ドアはすっと開いた。狭い沓脱《くつ》ぎが現れる。

「ひでえアパートだな。これじゃ沓脱ぎが使えねえじゃねえか」

「まったく」

二人のやりとりが一ノ瀬の背中に冷たいものを走らせた。この部屋を初めて訪ねた時、一ノ瀬も内開きに気づかずドアを引いて大きな音を立てた。だが、もし今日、先頭で部屋に入ったとしたら迷わずドアを押し開いていただろう。知っているからこそ陥る罠があるということだ。肝に銘じた。この部屋の中では二人より先に行動を起こしてはならない――。

倉石、福園、一ノ瀬の順で中に入った。上がってすぐ左手が申し訳程度のキッチンスペース。数歩進めばシステムバスが出っ張り、その脇が部屋への短い廊下だ。部屋と廊下を仕切る引き戸は開いていた。

「ここは閉まってたらしいですよ。おふくろさんが入った時は」

部屋に足を踏み入れる。八畳ほどのフローリング。どの窓もびっしり厚手のカーテンが引かれていて薄暗い。倉石が壁のスイッチに手を伸ばした。ソフトカバーに覆われた二連の蛍光灯がパチパチと耳障りな音を立て、片方がやや遅れて点《つ》いた。当時のままだ。

「この電気は？」

「消えてたそうです」

倉石は部屋の中を見回した。一見して争った様子や物色の形跡はない。微かな頷きの仕種《しぐさ》がそう語っている。

死体は――相沢ゆかりの亡骸は入ってすぐの左隅、床にそのまま布団を敷いたような低いベッドに横たわっていた。呼び込まれた鑑識課員がカメラのストロボを飛ばす。黄色のワンピース姿だ。顔には白いハンカチが掛かっている。母親の手によるものに違いない。

一ノ瀬は正視できなかった。心臓が早打ちしている。息が苦しい。手帳のことなど頭から消えていた。一刻も早くこの場所から逃げ出したい。それればかりを考えていた。

見透かしたように倉石が言った。

「イチ――この現場、お前が仕切れ」

5

これ以上の責め苦はないだろうと思った。

一ノ瀬は返事に窮した。自分でもわかるほど狼狽していた。

「どうした？　行きたいって言ったのはお前だろうが」

「はい。しかし……」

やはり倉石は、ゆかりと一ノ瀬の関係を疑っている。検視をさせ、一挙一動に目を光らせる腹だ。

「早いとこ始めろ。日が暮れちまうぞ」

倉石の言葉が突き刺さる。福園の訝《いぶか》しげな視線が頬に痛い。

やるしかない。やらねばなおさら疑われる。そう自分に言い聞かせた。腹を括《くく》ってやるのだ。そうする以外に道はない。

「やらせていただきます」

一ノ瀬は前に進み出た。一つ息を吐き、目線を上げ、室内をゆっくり見回した。

ベッドの向こうの壁際に、ぶら下がり健康器がある。ゆかりがリサイクルショップで買い求めたものだ。いっとき所轄の刑事部屋などでも目にしたが、実際飛びついてみたことはなかったから、こういう物だったかと改めて眺めた記憶がある。

〈イッチャンもやってみない？　結構気持ちいいよ。なんか体がゴムみたいに伸びる感じでさぁ〉

――集中しろ。

一ノ瀬は強引にゆかりの声を遠ざけた。

健康器に歩み寄ってメジャーをあてる。握り棒の高さは床から二・二メートル。その握り棒から洗濯ロープが垂れている。頭でっかちの「8の字」が縦に間延びしたような、しなびたような、そんな映りだ。

ロープを指で辿《たど》った。仕掛けは至極簡単だった。一本のロープの両端をそれぞれ握り棒に結び、その垂れた輪の部分を二本束ねて上方から下方に向けて搾るようにしながら一つ結んで下の輪を作ってある。初めて見る形だが、縊死の仕掛けとしてはまず申し分ない。下の輪の直径は二十一センチ。人の頭を潜《くぐ》らせて首を吊る適度な大きさに仕上がっている。

健康器の直下の床、湿りけを残した楕円形の水染みが目にとまる。顔を寄せるとアンモニアの刺激臭がツンと鼻をついた。水染みの二十センチ手前、カラーボックスが一つ横向きに転がっている。失禁の位置、踏み台の位置、ともに不自然さはない。

一ノ瀬は立ち上がり、もう一度、室内を見回した。

部屋のほぼ中央にガラステーブル。右手の壁際には色とりどりのカラーボックスが縦に横にパズルのように組まれて並び、雑誌、ＣＤ、ぬいぐるみ、アクセサリーの類まできちんと納まっている。ボックスの上に携帯電話、ラジカセ、テレビ。写真立てにはテニスラケットを胸に抱いたゆかりが笑顔で収まっている。

「やっ、こりゃあいい女だったなあ」

福園が、もったいない、の顔で言った。

「そいつはどうだかな」

皮肉っぽく受けて、倉石は「ホトケをやれ」と一ノ瀬に命じた。

一ノ瀬はベッドの脇で膝立ちの姿勢をとった。

合掌――。やるんだ。いつも通りに。

手が動いた。濡れた和紙でも扱うような慎重さでハンカチの隅を摘《つま》む。その指が小刻みに震えた。ままよと外しにかかる。チリチリと布目に掛かる産毛の抵抗を最後に、ゆかりの顔が現れた。

思わず一ノ瀬は目を閉じた。背中で息を呑む音がした。福園だ。

観念して目を開いた。嘔吐感が二度、三度と突き上げてくる。

目の前の死顔には写真の笑顔と重なる何物もなかった。蠟のように蒼白。眼球は迫り出し、舌は捩れて歯並びの前に飛び出している。製図の狂いを思わす歪んだ口許《もと》は今からでも悶絶の叫びを発しそうだ。面相は典型的な縊死。

一ノ瀬は口の中に広がった酸っぱい液体を呑み下した。ペンライトを握り、灯をゆかりの瞳に向ける。角膜は混濁して瞳孔を透視できない。

死後硬直はどうか。ライトを置き、手のひらでゆかりの肩から腕にかけて撫で下ろした。

途端、一ノ瀬は検視を忘れて手を止めた。

硬く、そして冷たかった。

――ゆかり……。

「どうした？　続けろ」

倉石の声が脳を直撃した。慌てて手を動かす。死後硬直は棒を呑んだように高度だ。それは下肢にまで広がり、すべての関節の可動性が失われている。

「たっぷり、十二、三時間はぶら下がってたな」

倉石がぼそりと言い、福園が腕時計に目を落とした。

「……てえと、夜中の零時前後か。一致しますね。隣の大学院生がそのころガタンって物音を聞いてるんです」

――隣の大学院生……。

一ノ瀬の心は波立った。当時、一度だけだが部屋の前でばったり顔を合わせたことがあった。背の高い、今風の顔立ちの……。確か表札は「加藤」……。新しい恋人は一ノ瀬の知っている人間。ゆかりはそう言った。あの時は誰の名も思い浮かばなかったが、そうか、その線はあり得る。ゆかりと加藤はずっとこのアパートで隣同士だったのだから。

――後にしろ。

一ノ瀬は頭を切り替えた。今は検視だ。ここまでは事件性ゼロ。このまま何事もなく自殺で決着すれば、ゆかりにまつわる一ノ瀬の心配事はすべて解消されるのだ。

――溢血点《いっけつ》はどうだ。

絞殺、扼殺の類ならば、瞼や眼球に針で刺したような溢血点が必ず出る。

ない。皆無だ。

――外分泌物の痕跡は……。

縊死以外の体勢で死亡したのだとすれば、鼻汁、唾液、尿失禁などの筋は横流れしたり不自然に折れたりすることが多い。

これも問題ない。血の混じった鼻汁は鼻孔から上唇に向けて直下で乱れがない。唾液の筋も下唇の左端から真っ直ぐ下に向かっている。尿失禁の痕跡は両足合わせて四筋あるが、いずれも太股を直下に伝い、曲がったり断線しているものはない。

——血下がりの具合は……。

心機能が停止した直後から体内の血液は体の低い方へ向かって下がり始め、その血溜まりが皮膚を透かして死斑を見せる。

これもいい。暗紫赤色の死斑は両手、両足の先に集中している。

一ノ瀬は一つ息をついた。それこそ法医学の教科書にでもできそうな縊死の死後徴候である。

だが、決め手はやはり首だ。一ノ瀬はゆかりの前頸部にライトを当てた。

幅一センチほどの赤黒い線が首筋を走っている。その索溝は顎の直下から左斜め上方に伸び、やや張り出したエラ骨と耳の下を通って襟足に抜けている。右側も同じだ。索溝は顎下から同じ角度で上方へ伸び、布団で隠れた襟足に消えている。

肩口を持って体を少し浮かせ、索溝の続きを見る。結節の痕こそないが、索溝はほぼ首を一周し、顎下を起点に完全な左右対称をなしている。しかも顎下部分の索溝はえぐられたように深く窪み、その一点で全体重を支えた証をとどめている。絞殺ではこうはいかない。背中合わせの恰好でロープを相手の首にかけ、勢いよく背負い上げて殺す手口があるが、それだって、これほど正確な左右対称の索溝を残すことは不可能だ。

索溝のほかに首には異状が見当たらない。襲われた被害者はもがく。手でロープを外そうと苦し紛れに自分の首を引っ掻き、よく知られた「吉川線」という擦過傷を残す。ゆかりの首にはない。指の先も爪の中もいたって綺麗だ。

仕掛けとの矛盾もない。ゆかりの首下から踵までが百四十センチ、ロープの輪の最下部が床上百五十五センチで、差し引き十五センチの余裕がある。カラーボックスは横にした状態でも二十五センチの高さがあり、踏み台の要件を満たしている。

これは縊死。殺しではなく首吊り自殺だ。そう結論を導くべく、あらゆる材料が無言の発言をしている。

警察医の谷田部が到着すれば同じ見立てをする。明らかな自殺だ、L医大の司法解剖に付されることもなく、ゆかりの遺体は母親のもとに帰る。

一ノ瀬は立ち上がった。嘔吐感は消えていた。代わりに腹の底から湧き上がってくるものがあった。深い安堵感――。

縊死です。そう言おうとして振り向いた。が、部屋に響いたのは倉石の声だった。

「死体が泣いてるぜ」

6

一ノ瀬は驚愕し、死体に目を戻した。

死体が泣いている？　見立てを誤ったということか？

いや、ひょっとして……。

ゆかりの右目の目尻のすぐ下、ちょうど頬骨にかかる辺りに小豆大《あずき》の淡い染みがある。そばかすだ。そう判断して通過した記憶があった。

ルーペをあてる。

拡大してみて、染みの輪郭の一部が微かに盛り上がっているのがわかった。目脂《めやに》が乾いてへばりついた痕――。

一ノ瀬はハッとした。以前、大学ノートに書き留めた倉石の言葉を思い出したのだ。

〈睡眠薬中毒死の死体は涙を流す〉

「調査官――」

「そうとは限らねえ。ただの首吊りでも泣く死体は多いんだ。ま、念のため――」

倉石は一寸《いっすん》考え、指示を出した。

「フク、鑑識に床の足紋やらせてみろ」

「足紋……ですか？」

「自分で歩いたかどうか調べるんだよ。眠らせといて吊るすって手があるだろうが」

「あっ、なるほど」

「電気は消えてたって言ったな。だったらスイッチの下から健康器までの間をやれ」

二人の鑑識課員が動いた。カーテンが開かれ、斜光法やアルミニウム粉末を使った採取作業を開始した。

「それともう一つ」

倉石が指さしたのは、ゆかりの左手の薬指だった。

「えっ……？」

一ノ瀬は目を凝らした。何もない……。いや……ある。確かにある。およそ一ミリ幅の帯状圧痕が微かに見てとれる。それは指を一周しているので指輪の痕跡と考えていい。見逃していた。指が死斑で無残な暗紫赤色に染まっていたからだ。

「ここにたくさん入ってますけどね」

福園が目ざとく星型の小物入れを見つけてきた。中に指輪が七つ。一目で安物とわかるファッションリングばかりだ。

「幅は？　合いそうなのはあるか」

「えーと、待ってくださいよ……」

福園が一つ一つ指輪を取り出し、薬指の圧痕の幅と照らし合わせていく。

三つが合致した。

「外し、小物入れにしまい、それから首を括ったってことだろうよ」

「死ぬ前に外しても圧痕は残るんですか」

「ああ、直前に外したのならな」

二人の会話は落とし所を見つけたようだった。

が、一ノ瀬は青ざめていた。

〈ルビーなんだ。綺麗でしょう〉

なかったのだ。ルビーをあしらった、あの金の指輪が。どこへ消えたのか。考えるまでもなく、頭の中には瞬時にストーリーが組み上がっていた。

やはりゆかりは殺されたのだ。犯人が指輪を持ち去ったのだ。指輪からアシがつくのを恐れたのだ。犯人とは誰か。ゆかりに指輪をプレゼントした新しい恋人だ。それは隣に住む大学院生「加藤」かもしれない。

倉石に報告すべきだと思った。自他殺を分ける重要な情報なのだ。この情報を握り潰してしまったら、もう警察官ではいられない。自殺であってほしいと願っていた。いや、今もそう願っている。しかし、だからといって他殺を自殺にすり替えるわけには――。

宙を彷徨っていた視線が、ふっと止まった。

手帳だ……。CDのケースが詰まったカラーボックスの奥、数冊の文庫本とともに立てかけてある。あんなところに、ゆかりの手帳があった。

〈イッチャンの名刺、手帳に貼ってあるんだぁ。しつこいお客さんとかに見せるとね、サーッって引いちゃうの〉

戦慄が蘇った。身の破滅――。

心が傾《かし》ぐ。

もし、「加藤」が犯人でなかったらどうなる。一ノ瀬こそが不倫殺人の容疑者だ。職も家庭も諦めるのか。そんなことができるのか。ゆかりは死んだのだ。死んでしまった女のために、今こうして生きている、これからも生き続けていかねばならない自分が犠牲になる必要があるのか。

いや、実際のところ殺しがあったかどうかだって怪しいのだ。例えばそう、ゆかりは恋人にふられ、指輪を捨ててしまった。目に触れない場所にしまい込んだ。そういう可能性だってあるではないか。

つまりこういうことだ。倉石に情報を上げたからといって、この一件が殺しに転がるかどうかはわからない。だが情報を上げることによって、一ノ瀬が人生の崖っぷちに立たされることだけは約束されている。

――馬鹿げてる。

一ノ瀬は奥歯を嚙み締めた。

腹は固まった。固めたからには次にやるべきことは決まっていた。

目の隅で倉石を見た。鑑識の足紋採取に目を落としている。福園も同じだ。今ならやれる。

一ノ瀬は呑む息とともに足を引き、摺らし、二人の背後に回った。ゆっくり腰を落とし、カラーボックスに手を差し入れた。指が手帳を引き抜いた、その時だった。頰にふわっと風を感じた。玄関のドアが開いたのだと足音が知らせた。

「遅くなって申し訳ありません」

警察医の谷田部克典が上がってきた。まだ三十前の「若先生」のほうだ。

――見られたか……？

ズボンのポケットの中、汗ばんだ手が小さな手帳を握りしめていた。

7

谷田部が到着したことで検視作業は最終段階を迎えた。

「それでは脱がします」

一ノ瀬は遺体のワンピースの前ボタンを外しはじめた。ふくよかな胸。くびれたウエスト。好ましい下腹部のライン。かつて一ノ瀬が愛したゆかりのすべてが晒されていく。

〈フフッ、だったらさあ、変なとこで変な死に方できないね。イッチャンに裸にされて身体中調べられちゃうなんて嫌だもん〉

哀れだった。そう思えるまでに一ノ瀬は落ちつきを取り戻していた。手帳は手に入れた。谷田部は気づかなかったようだ。その谷田部が間もなく自殺の結論をだす。もはや、ゆかりは一ノ瀬に脅威を与える存在ではなくなっていた。

指輪の件がある。ゆかりは殺されたのかもしれない。だが、あのルビーの指輪が見当たらないことは、ゆかりの失恋を告げているとともとれる。失恋の果ての自殺。一ノ瀬は本気でそう思いはじめていた。

谷田部とともに、ゆかりの肩口、胸、腹、二の腕と見ていく。皮下出血なし。圧痕なし。擦過傷なし。外敵の存在を示す何物もない。

ブラジャーのホックを外す。隆起が露《あらわ》になり、一ノ瀬はぎょっとした。

黒ずんだ乳頭。いや、それはピンクと言えば言える色だ。現に、ほかの誰もが「妊娠徴候」の声を上げない。だが一ノ瀬は知っている。淡く美しい乳頭の色を。

またしても心臓が早打ちをはじめた。

妊娠。それは殺しの動機にも自殺の動機にもなりうる。だが——。

指輪と妊娠。殺人容疑事案として捜査を立ち上げるのに十分な材料を二つも有しながら、単なる自殺として処理される。何一つ調べてもらえないまま闇に葬られる。その理不尽さはどうだろう。ゆかりの無念さはいかばかりか。

腹は固めた。もう後戻りするつもりはない。心は寒々としていた。己の氷の部分に呑み込まれ、凍えきっていた。

一ノ瀬はショーツを下ろした。薄い恥毛は失禁の湿りけを微かに残していた。棒状体温計で直腸温度を計り、検視は終了した。

倉石が谷田部を見た。

「どうだい若先生？」

「縊死ですね」

谷田部は顔色一つ変えずに言った。

倉石は浅く頷き、作業を終えた鑑識課員に顔を向けた。

「そっちは？」

「はい。電気のスイッチから健康器具の下に向けて、真っ直ぐ歩いた痕跡がありました。歩幅からして、しっかりとした足取りです」

「ご苦労――フク、お前は何かあるか」

福園が神妙な顔で口を開いた。

「血筋だ。おふくろさんはそう言ってました。相沢ゆかりの父親も二十二年前に首を吊って死んでます。彼女が五歳のときですね」

一ノ瀬は耳を疑った。父親はガンで死んだ。ゆかりはそう言っていた。

「経営してた鉄工所が倒産したんだそうです。そんなことだから、ゆかりの誕生日に何も買ってやれず、仕方なく、自分の名刺でトランプをつくってやり、それをプレゼントにしたんだそうですよ。ほら、名前のほうはみんな同じだから、それをトランプの柄に見立てて、裏にサインペンでハートだのスペードだの描いたそうです。ゆかりはすごく喜んで、けど、父親は翌朝……ってことです。娘の誕生日だけは祝ってやりたかったんでしょうね。間の悪いことに、死体の第一発見者はゆかりでした。母親が言うには、あれを見てしまったのがいけなかったんだと……。まあ、そんなふうに言ってました」

部屋は静まり返った。

一ノ瀬は声もなかった。

名刺……。だから、あれほどまでにゆかりは……。

「イチ――」

倉石が腕組みをして、一ノ瀬を見据えた。

「結論をだせ」

「はい……？」

「この検視はお前が仕切ったんだろうが。情報は出揃った。最終結論をだせ」

沈黙に堪《た》えられたのは数秒だった。

一ノ瀬は口を開いた。唇の震えが声をか細くさせた。

「本件は……縊死と思慮されます」

8

午後十時。一ノ瀬は安酒場のカウンターにいた。少しも酔えない。

ゆかりの部屋を出ると縄張りの外に人垣ができていた。その中に「加藤」の顔があった。

目が合った。逸《そ》らしたのは一ノ瀬のほうだった。顔を覚えられていたらまずい。咄嗟に顔を伏せたのだ。その「加藤」こそが、ゆかりを殺した犯人かもしれないのに……。

家庭を守った。

果してそう言えるのか。ならば、なぜここにいる。定時には帰れた。女房の誕生パーティーもしてやれた。だが、そうはせずにここで飲んでいる。

自分が可愛いだけなのだ。

一ノ瀬は手のひらを見つめた。

感触が残っている。冷たく、硬い、ゆかりの体の感触が。

〈わあ、あたし、おまわりさん大好き人間なんですぅ〉

何の悩みもないように見えた。若さにまかせ、自分のしたいことだけをして、ただ面白可笑しく生きているのだと思っていた。

五歳で父を亡くしていた。その首吊り死体を見た。誕生日が明けた朝に――。

〈でもさあ、自殺とかしちゃう人って馬鹿だよねえ〉

ゆかりはどんな顔をして言ったろう。思い出せない。半年余りも体を重ね合わせていたというのに、今になって、ゆかりのことを何も知らない自分に気づいた。

知ろうとしなかったからだ。死という最後の場面ですら、真実を知ってやろうとしなかった。もう後はない。焼かれ、灰になり、小さな壺に詰められ、どこかの土の下で永遠に眠るのだ。

肩が震えた。両腕をカウンターに突っ張った。ハンカチを取り出そうとしたその手が別の何かに触れた。

手帳——。

摑みだした。夢中で捲った。あった。最後の頁に名刺が貼ってあった。だが——。名前も肩書きも電話番号も読めない。活字も数字もすべて塗りつぶされている。一つ一つ、小さな赤いハートマークで。

一ノ瀬は天井を仰いだ。

新しい恋人ができたら捨てる。そう約束したが、ゆかりにはできなかった。だが一ノ瀬に迷惑をかけてはいけないと考えて……。

名刺を返さないゆかりは脅威だった。危険な爆弾とすら思った。なのにゆかりは薄情な男を恨むでもなく、小娘のようにハートマークを描いていた。赤いボールペンで無理に黒字を消そうとしたのだろう。紙の表面は削れ、毛羽立ってしまっている。馬鹿だなあ。そう思う。なんて馬鹿な女なんだろう。

涙とはこういうものだったか。自分の意思で止めることができない。

ぼやけたハートマークの行列。それはトランプの一枚に見えた。

拳を握った。思いっきり握り締めた。

一ノ瀬は携帯電話を取り出した。倉石の官舎の電話を鳴らす。でない。掛け直す。倉石の携帯——。

《なんだ？》

「至急お話ししたいことがあります。今どちらですか」

《剣崎の現場だ》

雷鳴に聞こえた。

一ノ瀬は店を出た。道に飛び出してタクシーを拾い、剣崎を目指した。殺し。倉石はその疑いを捨てていなかったのだ。ならば一ノ瀬の情報は生きる。

一時間ほどで、「ハイツ高山」に着いた。倉石は１０３号室の前に横付けした車の中にいた。

「その顔は自首じゃねえな」

「それに近いかもしれません」

一ノ瀬は洗いざらい話した。ゆかりとの関係。指輪。妊娠。「加藤」のこと——。

「隣の加藤か……。俺のとは違うな」

「違う……？　じゃあ誰です？　いや、そもそもゆかりの死は本当に殺しなんでしょうか」

「そいつは請け合う。ついてきな」

倉石は車を降り、１０３号室のドアを押し開いた。その細い背中を追う。

短い廊下を抜けて部屋に入ると、倉石は引き戸を閉じ、部屋の灯を消した。

真っ暗闇だった

「どの窓も分厚いカーテンだ。引き戸を閉めれば夜はこうなる――イチ、歩けるか？」

「あ……いえ……」

「人間ってのは完全な闇の中は歩けねえ。たとえ自分の部屋でもな。鑑識の言ってた『真っ直ぐに』とか『確かな足取りで』なんてありえねえ。せいぜい『おずおずと』『摺り足で』ぐらいのもんだろう。要するに、あの足紋は別の時についたモノってことだ」

そうか。倉石はそのことを確認するために「夜」を待っていたのだ。

「調査官――昼間からわかっていたんですね。あのとき言わなかったのは……おたおたしていた私を疑っていたからですか」

「こざっぱり生きてる奴なんてこの世の中にはいやしねえ。無論、サツ官だってな」

闇の中、声だけが行き交う。

「今は……どうなんです？」

「真っ白だ」

「私でも加藤でもなく、だったら誰です？　ゆかりは私が新しい恋人の名を知ってると言っていた。しかし加藤のほかにそんな人間は――」

言いかけて、一ノ瀬は全身に強張りを感じた。

いる。一人だけ。ゆかりがそう思ってもおかしくない人間が。

パッと灯がついた。すぐ横に倉石の顔があった。

「いるんだな？」

一ノ瀬は頷いた。

「若先生——谷田部克典」

L県警察医会の忘年会。そこでゆかりと谷田部が知り合ったのだと考えれば辻褄が合う。同じ宴席に一ノ瀬もいた。だからゆかりは、一ノ瀬が谷田部の名前くらいは知っているのではないかと思った——。

「今度は俺のと同じだな」

「私と別れてから付き合い始めたのかもしれません。同じ剣崎市内ですから、ゆかりが受診したとかで急接近した可能性もあります。しかし、たとえ二人が恋愛関係にあったとしても、若先生が殺したかどうかは……」

「ボロのでにくいイイ現場だった。やれるのはお前ぐらいだろうと思ったが、無論、奴ならできる。俺たちの仕事を知り尽くしてやがるからな」

「それはそうですが、警察医なら他にも大勢います。ゆかりは警察医会の忘年会にでていたわけですし」

倉石は取り合わなかった。

「明日の司法解剖で女の眠らせ方もはっきりするだろうよ。ま、いずれにしても助かったな。若先生がとんだミスをしてくれてよ」

「ミス……？」

と、その時、玄関でドンと音がした。誰かがまたドアを引いた。

「あ……」

一ノ瀬は目を見開いた。

あの時だ。倉石たちの目を盗んで手帳に手を伸ばした時、谷田部が遅れてやってきた。頬に風を感じた。足音も聞いた。しかし、そう、「ドン」は耳にしなかった。

「そういうこった。谷田部は押し開くドアだと知ってたんだよ」

一ノ瀬は呆然とその場に立ち尽くした。

終身検視官——そこまで見通すものなのか。

部屋に福園が飛び込んできた。

「校長——いいタマですよ、あの若先生は。女房子供がいるのに、外じゃあシレっと独身で通して遊んでやがる」

福園は昼間と同じく一ノ瀬をまるっきり無視して倉石に情報を上げ、「きっちりシメ上げます」と言い残して部屋を飛び出していった。

「引き上げるぞ。あとは連中の仕事だ」

「はい」

廊下に出た一ノ瀬は、足を止めて振り向いた。

呼び止められた。そんな気がした。

三十歳までに絶対結婚したい。ゆかりはそう言っていた。谷田部に賭けていたのかもしれない。妊娠し、堕ろすのは嫌だと谷田部の足に縋《すが》りついたのか。

一ノ瀬は目を閉じ、灯も夢も消えた部屋に向かって静かに手を合わせた。

倉石は表で待っていた。

車に乗り込むと、それを待っていたかのように二人の携帯が同時に鳴り出した。

「ホトケがお呼びだ」

倉石の骨張った頬がほんの少し緩んだ。

眼前の密室

1

午後十時を回った。

相崎靖之《あいざきやすゆき》は首を回し、ソファに寝そべる甲斐《かい》に顔を向けた。

「甲斐さん」

「ん？」

「奥さん、今夜あいてます？」

「ん――ああ」

「貸してもらえますか」

「いいけど……どこ？」

「ホテルラブラブです」

「ふーん……」

生返事をしつつ甲斐はゆっくりと立ち上がり、自分の机に歩み寄ってプッシュホーンの数字を叩いた。

十五分ほどして、甲斐の妻、智子《ともこ》が現れた。相崎より一つ上の二十四歳。常識的な目鼻立ちの比率をまるっきり無視した大きな瞳が彼女の印象のすべてと言っていい。支度は構わないほうだ。今夜もだぶだぶのトレーナーにミニスカート、素足に踵の低いサンダルをつっかけている。パンストが女性の皮膚だと思い込まされて育った相崎の目には、光沢のない太股や膝頭が妙に艶《なま》めかしく、それでいて、ひどくだらしのないもののように映ったりする。

相崎は目配せで智子を促し、部屋のドアを押し開きながら振り返った。

「それじゃ、お借りします」

甲斐は「ほどほどにな」と呟き、またソファに転がった。

智子の赤い軽自動車は、建物の裏手、水銀灯の光の輪の外にひっそり停まっていた。

クラッチは「要整備」だ。いくらアクセルを踏み込んでもエンジンが騒ぐばかりで、ちっともスピードにのれない。のったころには手品のように信号が赤へと変わる。捌け口であることを心得ているらしく、ブレーキはよく効くが。

「ねえ、相崎君」

助手席の智子が前を見たまま言った。

「今夜はどこ?」

「ホテルラブラブです」

ツンと尖った空気が肘の触れ合う狭い車内に漂った。

「呆れるほどクールね」

恨めしそうに言って、智子はシートを一段後ろに倒した。途端に発進したものだから、艶めかしくてだらしのない太股が浮き上がって信号の青に染まった。

国道を東へ走り、信用金庫の角を折れて県道に入る。決まりきった商店街の灰色のシャッターを風圧で鳴らしながらさらに進むと、緩やかなカーブの先に光と色を尽くした街道ホテルの一群が姿を現す。

なかでも豪華客船を象《かたど》った「ホテルラブラブ」は一際目立つ。「お車はこちら」の案内板に従って県道を左折。砂利道に車を乗り入れると、すぐ右手に七夕飾りのような色とりどりのナイロンテープを垂らした「お車入口」が目に飛び込む。そこへは入らず、ホテルの外壁に沿って車を走らせる。あとは一動作だ。外壁が切れたところで目一杯ハンドルを右に切り、ホテル裏手の狭い泥道に車を突っ込む。エンジンを切り、ライトを消し、停車と同時にシートを平らになるまで倒しきる。ルームミラーの角度を素早く調節し、砂利道を隔てた後方約十メートル、古ぼけた二階屋の玄関をミラーの中央に導き入れる。

県警本部捜査第一課強行犯第四係長、大信田《おおしだ》警部の官舎。

「例の老婆殺しの夜廻りよね？」

ええ、と短く答えて、相崎はB5の夜廻りノートに『張り開始十時三十二分』と書き込んだ。

2

智子もシートを倒した。

「班長さんのご帰還予定は？」

「さっき、署の会議室で捜査員の報告が始まったばかりですから――」

相崎は腕時計に目を落とした。

「十一時半か、十二時半か……」

「一時半か、二時半か」

智子がつまらなそうに続けた。

「ええ。捜査員からいい報告が上がれば会議は延びます」

「こんな早くから張ることないんじゃない？」

「万一、班長が早帰りして電気を消されたらアウトですから」

「優等生ねえ」

呆れ顔で言いながら智子はさらに深くシートを倒した。入れ代わりに相崎は腹筋で上体を起こし、もう一度ミラーの向きを微調節した。

官舎の一階居間からカーテン越しに灯が漏れている。両脇は「ホテル内緒《ナイショ》」と「旅荘しらさぎ」の外壁だ。以前は東部署の署長官舎として使われていたのだが、周囲に続々とラブホテルが建設されるや、世間体を気にした本部警務課が、捜査幹部用なら問題なかろうと変更してしまった経緯がある。

「で、どうなの？」

智子が気《け》だるい調子で言った。

「いよいよ大詰めってわけ？」

「はい？」

相崎はポケベルの電池を確認していたところだった。この一帯は携帯電話の不感地帯なので「骨董品」の出番となる。

「老婆殺しの捜査よ。煮詰まってるの？」

少なくとも東洋新聞と中央タイムスはそうみているようだ。赤石《あかいし》デスクの地鳴り声が耳にある。

他社の連中にこのヤマ抜かれてみろ、ただじゃすまさねえぞ。今夜中に班長をとっつかまえて本ボシを絞り込め――。

言われるまでもなく、地元紙である県民新聞が他社に遅れをとるわけにはいかない。富士見町の金貸し老婆が自宅で絞殺されて八日。ここまでは連夜の夜廻りで状況ネタや鑑識ネタをかき集め、どうにか紙面を繋いできた。犯行に使われたディオール製ネクタイはフランス国内でしか販売されていない。現場で採取された短い毛髪の血液型はＡＢ型。鏡台の香水の瓶が一つ割れていた。庭に竹馬で歩いたような不可解な跡が点々と続いていた。しかし、もういけない。抜きつ抜かれつできた東洋とタイムスが今朝は揃って一行も続報を載せていなかった。Ｂ級ネタの泥仕合に見切りをつけ、一気に「有力容疑者浮かぶ」で決着をつけようと潜行した――まずそう見て間違いない。

「容疑者は浮かんでるの？」

「ええ。一応、二人名前が挙がってます」

「誰？」

誰？　と聞かれて一瞬詰まったが、すぐに頭の中のメモ帳を捲った。

「老婆の甥っこの東勝男《あずまかつお》。前科が七つもある粗暴犯です。それと別れた夫。金に困って復縁を迫っていました。どちらを本命とみてるのか、班長が戻ったらぶつけます」

「身内の犯行かあ。私のと違うんだ」

「私の……？」

検視を担当する倉石調査官のやくざ顔が浮かんだ。彼の口癖と似ていたのだ。「俺のとは違うな」。夜廻りに行って何か推論をぶつけると、決まってそんな返答をする。

だが、智子の言う「私のと違う」とは――。

脳が解読しようと試みた時、早くも「第一波」が来た。県道からこちらへ弧を描いたヘッドライトが砂利道を舐めるように照らし、ミラーの視界に白黒パトカーが入ってきた。おそらく車内で「おい」「ああ」の会話があった。そう思える緩慢な動きを見せた後、パトカーは小さなブレーキ音を発して止まった。懐中電灯を手にした制服が一人降りてくる。

智子はもう相崎の首に両手を回していた。息づかいと鼓動と肉の弾力と甘酸っぱい香りがまとめて襲ってくる。

靴音が近づく。相崎はひくひくする瞼《まぶた》を半分閉じた。車内にサッと光が走った。智子は体をくねらせ、これでもかと二つの肉体のわずかな隙間を駆逐していく。

足音が遠ざかり、ドアの閉まる音が響いた。たぶん車内で「真っ最中だ」「次は俺の番だぜ」のニヤついた会話があった。あとは赤い軽のナンバーを控えて任務を終える。いかに珍妙な場所に車を突っ込んでいようとも、車内にいるのが大人のカップルでありさえすれば彼らはいたって寛容だ。

智子が相崎の胸でククッと笑った。

「お役に立ったわね」

「毎度すみません」

相崎は小さく頭を下げ、ルームミラーの玄関監視を再開した。

智子はその横顔を睨みつけ、「もう」と唸って助手席に体を戻した。

「あなた、ホントに男？」

まさか股間に発汗しましたと告白するわけにもいかず、相崎は「いえ」と言ってミラーを動かし、また戻した。

「で、次のカーセックスのご予定は？」

「パトの警邏を別にすれば、次は十一時五十分ごろ、自転車で七人通ります」

「ああ、漬物工場の遅番の人たちね」

「そうです。黒縁眼鏡がタチが悪くて……。車の中を覗いて、男一人だとみると必ず一一〇番します」

「ラブホテルの裏で男が一人でコソコソしてりゃあね、無理ないわよ」

返事をしなかったのは、ミラーの中の像に変化を感じたからだった。子供部屋に灯が点いた。豊のトイレタイムだ。確かもう三年生のはずだが一人っ子で甘やかされて育ったせいか、夜のトイレは加奈子夫人が付き添う。外ではガキ大将だという豊の顔を吹き出す思いで頭に浮かべ――と、その時、脈絡もなく別の記憶の引き出しがスッと開いた。

「奥さん」

「なに？」

「老婆殺しですよ。さっき言いかけたでしょ、私のと違う、って」

「言った通りよ。私が考えていた犯人と違うってこと」

相崎は一瞬ルームミラーから目を離した。

「奥さんが考えた犯人？　誰です？」

「固有名詞は知らないわよ。まあ結果としてかなり絞り込めると思うけど」

相崎はまたミラーから目を外した。

智子がニッと歯を見せる。

「こう見えてもサツ廻りキャップの妻ですからね、社会面ぐらい読むわけよ」

「ええ」

「発生の時の記事に現場周辺の略図がついてたでしょ。驚いたなあ、かの有名なマサコ・バレエスクールがあるじゃない、お婆さんの家のすぐ近くに」

「ええ。聞き込みにも何度か行きました」

「犯人はそこの先生か生徒だわ」

相崎はついに首まで回した。

「なぜです？」

「なぜって、相崎君が書いたんでしょ。ほら、お婆さんの家の庭に残ってた謎の竹馬跡ってヤツ。いまどき小学生だって足跡から靴の種類がバレちゃうって知ってるのよ」

相崎は首を傾げた。

「鈍いなあ。こういうことよ——犯人のプリマさんはね、靴跡を残すのが嫌で、はい、アン・ドゥ・トロワって爪先立ちで逃げたの」

「そんな……」

「そんなってなによ。じゃあ、犯人がホントに竹馬で逃げたとでも思ってるの？」

「いえ……。しかし、現場で採取された髪の毛は短くて」

「認識不足。バレエ教室を覗いてご覧なさいよ。どこだって生徒の半分は相崎君より髪短いから」

「しかし、女が……」

「女よ絶対。香水の瓶が割れてたでしょ。犯人が自分の香水の匂いを消すんで壊したの」

脳が透けて見えるのではないかと思えるほど澄みきった大きな瞳が、相崎とミラーの間に割り込んできた。

「あのね、バレエはもともとイタリアで生まれたけど、十六世紀後半にフランスの宮廷で保護されながら発展したの。でね、バレエをかじってる人なら一度ぐらいはフランスへ行くわけよ、ポーズで」

「はい」

「少なくとも、金に困った夫や甥よりは現地でしか買えないディオールのネクタイを持っている可能性だって高い——でしょ？」

「はい」

「よし、と、あとは絞り込みね。バレエスクールは全部で何人？」

「少数精鋭とかで、昌子校長を入れて約二十人です」

「髪が短いのは半分よ」

「すると十人です」

「髪の毛からわかった血液型は？」

「ＡＢです」

「ＡＢ型の比率は？」

「日本人の場合、おおむね十人に一人です」

「ほーら、一人に絞れたじゃない。あとは固有名詞を調べるだけ。ううん、ついでにそれも言っちゃおうか」

　相崎は息を呑んだ。

「先生と生徒全員で二十人、って聞いてすっかりわかったの。えーと、社会面の見出しはこうね。『老婆殺しで昌子校長を逮捕』『経営難、金策に窮した凶行』——どう？」

「昌子校長？　金策？」

「馬鹿ね、少数精鋭だなんて嘘っぱち信じちゃって。考えてもみてよ、あんな大きなバレエスクールが二十人ぽっちの生徒でやっていけるはずないじゃない」

市民体育館を思わす巨大な、それでいてひび割れだらけのバレエスクールの建物が脳裏を過《よぎ》った。

相崎を覗き込む智子の瞳が期待に染まっている。

沈黙は相崎が破った。

「班長にぶつけてみます」

次の瞬間、智子は風船が萎《しぼ》むようにしてシートに沈んだ。

「クールねえ——つまんない」

股間の汗は引いたが、手のひらにたっぷり発汗していた。老婆殺しの真相はもとより、記者仲間の誰もが解けなかった謎が一気に氷解した。そう、今頃、県警の記者室で高イビキをかいているであろう甲斐キャップが、なぜ過去に編集局長賞を十七回も獲得できたか——。

3

手の汗がまだ引かないうちに、県道から「第二波」が回り込んできた。

「ご帰還?」

「……いえ、違うようです」

相崎は目を凝らした。ミラーを横切る派手な黄色のサイドライン。急ブレーキで後輪が滑り、ズルッと嫌な音がした。

「東西タクシー……。タイムスです」

タクシーのドアが開いてバネ仕掛けの玩具《おもちゃ》のように小さな影が飛びだした。智子が顔を寄せてミラーを覗き込む。

「あら、女の子じゃない」

「タイムスの新人、花園愛《はなぞのあい》です」

「可愛い名前」

「名前だけは」

「棘のある言いようね」

花園愛は躊躇《ちゅうちょ》なく官舎の呼び鈴を押した。すぐに玄関灯が点き、半開きのドアから前髪にカーラーを巻いた加奈子夫人の端正な横顔が覗いた。やり取りは聞こえないが、大方こうだ。「班長戻られてます？」「まだなのよ」「何時ごろになるでしょう？」「それは殺人犯に聞いて頂戴な」――犯人に聞いてくれ、というのが加奈子夫人の口癖だ。

既定のやり取りは終わったはずだが、二人はまだ立ち話を続けている。留守宅からも何とかネタを引き出そうと努力するのが、花園愛の凄さであり、浅ましさでもある。

「それにしても、若いし、美人よねえ。班長の奥さんって」

「元ミス県警ですから」

「好み？」

「いえ」

「赤石デスクがぞっこんだったみたいね、昔」

「ホントですか」

「そうなのよ。甲斐から聞いたことあるもの」

花園愛がペコリと頭を下げ、方向転換していたタクシーへ走った。ふとこちらに視線を向けたがそれだけのことだ。智子の赤い軽は他社のマークリストに載っていない。

相崎は夜廻りノートを開いた。『十一時二分　タイムス・花園（四分）』と書き込む。

「このコースだと、あの子、次はきっと指導官の官舎ね」

「たぶんそうです。立原《たちはら》指導官は病気療養中ですけど、彼女なら呼び鈴を押しかねません」

「ウチもああやってぐるぐる廻ればいいのに。こんなところでコソっと一点張りしてるより効率がいいでしょ」

答えようとした口を智子の手で塞《ふさ》がれた。同時に宝塚の男役っぽい声。

「いいか聞け。そりゃ全国紙の連中はいい。二、三年でこの土地とおさらばだからな、どんなに無茶しようが義理を欠こうが一発いいネタ当てりゃアそれで東京に凱旋よ。だがな、俺たち地元記者は地縛商売だ。持ち場が変わろうが支局へ飛ぼうがサツ官との付き合いは一生モンよ。夜中にポンポン呼び鈴鳴らしながら頭の悪いトンビみたいにあっちこっち回ったりしてみろ、信用なんざ生涯得られん。サツ官にだって家族がいらあ。奥さんが風呂で素っ裸の時もあるし、子供が熱を出してウンウン唸ってる時だってある。わかったな、どんなにネタが欲しくても呼び鈴なんか押すんじゃねえ。ただひたすらジッとサツ官の帰宅を待つ。それが先人の知恵、ウチの伝統ってヤツなんだよ——でしょ？」

赤石デスクの「夜廻り訓」は社会部記者の女房まで暗記しているということだ。

「で、張り込みの最長記録は？」

「やっぱり赤石デスクで、なんでも若いころ鑑識課長宅を九時間張ったとか」

智子は目を丸くした。

「だけどわからないなあ、なんであなたまで赤石デスクになっちゃうわけ」

「はい？」

「学生時代はクラブだコンパだってワイワイ楽しくやってたわけでしょ。それが新聞社入ってサツ廻りになった途端、僕はスクープするために生まれてきましたみたいな顔して、悲壮感まで漂わせちゃって——なんかちょっと不思議すぎない？」

その不思議すぎる同類が立て続けに二人現れ、相崎は劣勢の会話から逃れて夜廻りノートにペンを走らせた。

十一時十五分　読日・佐藤（一分）

同　十八分　毎朝・皆川（

相崎は上カッコを書いて手を止め、念を飛ばすようにミラーの中の皆川を睨みつけた。が、無論効果はなく、その長身の背広は加奈子夫人の笑顔とともに官舎の中へ消えた。

「あらら、あの人、中へ入っちゃったわ」

「奥さんがコーヒーを入れてくれるんです」

「だって他の記者は玄関先で――」

智子はパチンと指を鳴らした。

「それじゃ、今のが噂のホスト皆川？」

「ええ」

「元ミス県警とホスト皆川かあ」

花園愛が「留守宅からも情報を取ろうとする記者」なら、皆川明は「留守宅を専門に狙う記者」だ。俳優も顔負けの彫りの深いマスクに、おそろしくよく回る口。ホストクラブに勤めれば間違いなく今の十倍は稼げると生活安全課の連中が太鼓判を押している。

問題は、日ごろ班長が捜査に関してどこまで夫人に話し、それを夫人がどの程度皆川に漏らしているか、だ。

「かなり入れ込んでるわね班長夫人」

「え……？」

「カーラー外してたでしょ。前の二人の時はしてたのに」

智子の観察眼に舌を巻いた。ただ、そうは言っても夜廻りノートの統計によれば、皆川は決まって今頃の時間に現れ、十二、三分で官舎を後にする。庇《かば》い立てする気もないが男女の仲という点についての感触は「シロ」だ。

皆川が官舎から出てきた。その背中でドアが内側に引かれて閉まった。

きっかり十一時半。相崎は上カッコの下に『（十二分）』と書き足してノートを閉じた。

智子はまだ二人のスキャンダルを追い続けていた。

「変よね——あんなに嬉しそうに迎え入れといて、お見送りはなしなんて」

4

ポケットベルが鳴ったのは十一時五十分だった。欠伸《あくび》の途中だった智子が、その口のまま器用に「お呼びね」と言う。

相崎はベルを止め、ディスプレイに目を落とした。相手は番号非通知。メッセージもない。思わず舌打ちが出た。昼間書いた宝石店荒らしの原稿の問い合わせか。だが社会面の降版時間にはまだ間がある。ならば大きな事件の発生か。携帯が使えないのが恨めしい。もしやと思って取り出してみたが「感度ゼロ」だ。かといって、この近くには公衆電話もない。

思案するうち二度めのポケベルが鳴りだした。

「どこかで発生モノがあったかもね」

智子が相崎の心配を正確に言い当てた。殺人。強盗。放火。ガス爆発。物騒な単語が次々と頭に浮かぶ。通話を三分として、一番近い公衆電話の往復に十五分強――。

相崎は意を決して車を降りた。足音を殺して官舎の玄関に忍び寄り、漏れる灯を頼りに犬走りに眼を凝らす。数メートル視線を這《は》わせたところで適当なのが見つかった。直径三ミリほどの平べったい石粒。指先でつまみ上げ、ちょっと舌で湿らせて玄関のドアノブの真上に張りつけるようにして置く。準備完了――。

嬉しそうな顔が車で待っていた。

「知ってる知ってる、今のあれでしょ？　ドアノブを回すと石粒が落ちる仕掛け」

相崎は「伝統です」とだけ言い、ノートに『十一時五十三分・張り中断』と書き込んでエンジンを掛けた。

「だけど、戻ったとき石粒が落っこちてたらどうするの？」

「班長が帰宅してしまったということですから、ここは諦めて、もっと帰りの遅い主任あたりの家に回って張りを掛け直します」

「だって、奥さんが深夜のゴミ出しか何かでノブを回しちゃうことだってあるでしょ？」

「それは確かめようがないですから。きっぱり諦めるのも伝統の一つですし」

「やだあ、折角こんなに待ったのにィ」

智子が相崎のシャツの弛《たる》みを引っ張る。

「そうだ、ねっ、私が残って見張っててあげる」

「そういうわけにはいきません。こんな場所ですし、時間も時間ですから」

相崎はハンドルを回しながら言った。

「私は平気よ」

「奥さんは平気でも男のほうが――」

「放っておかない、ってこと？」

「ええ。まあ……」

一テンポ遅れて、助手席から「それもそうね」と弾む声がした。

県道に車の頭を出すと、その県道から自転車の一団が曲がって来た。漬物工場の遅番七人組だった。官舎の前を通って五百メートルほど先の南大杉団地へ帰る。一一〇番マニアの黒縁眼鏡もいたが、動いている車には興味がないようだった。

相崎はフルスロットルで一キロほど県道を戻った。乱暴に車を道端に寄せ、テレクラの案内所と化した電話ボックスに駆け込んだ。

《はーい、県民新聞社会部》

社会部長の声だった。

「相崎ですけど、呼びましたか」

《ん？　呼んでねえぞ。ちょっと待ってろ》

数秒後、部長の怪訝そうな声が戻った。
《誰も呼んでないみたいだぞ》
「どっかで大きいのハネてます？」
《いや、交通事故とボヤぐらいだ》
安堵の思いとは別に、事件でも問い合わせでもなかったポケベルへの疑念と怒りが膨らんだ。
「赤石デスクは？」
《赤鬼さんは夕刊番だ。とっくに帰ったよ》
拍子抜けした。昼間、「今夜中に本ボシを絞り込め」と夜廻りを命じておきながら自分はもう帰宅してしまったとは……。それに赤石デスクの自宅は漬物工場の七人組と同じ南大杉団地の一角にある。帰ったと知っていればデスク宅の電話を借り、張りの空白を確実に五分は減らせた。
切るなり相崎は県警記者室に電話を入れた。
すぐに甲斐が出た。
《おう、どうした？》
「僕のポケベル鳴らしました？」
《鳴らすわけないだろう、夜廻り中に》

「ですよね。じゃあ」

相崎は受話器を叩き切って車へ走った。やられた、の思いに歯が軋む。

「やっぱり何か発生だった？」

「いえ、おそらくタイムスの仕業です」

手荒に車を回しながら相崎は吐き出した。

「癖の悪いのが一人いるんです。他社の携帯やポケベルを鳴らしたり、書き損じを狙って夜中にごみ箱をひっくり返したりするのが」

ほとんどノーブレーキで「ホテルラブラブ」の角を折れ、裏手の泥道に車を突っ込み、手順通りルームミラーに見飽きた玄関を納めると、ともかく相崎は官舎へ走った。

石粒は――。ノブの上に元通りあった。その石粒を取り去り、振り返って車にOKサインを送ると助手席で黒い影が躍った。

『張り再開・零時十分（空白十七分）』

ミラーの中に変化はない。闇にぽっかり浮かんだ居間の暖色が、いつものように寝酒の準備を告げていた。

5

張りを再開して五十分。他社の夜廻りは途絶え、ラブシーンが必要な局面も訪れず、いよいよ視神経が悲鳴をあげそうになった時、県道からヘッドライトが回り込んできた。

「ぼちぼち……？」

助手席で寝言に近い声がした。

答えずに相崎はミラーを凝視した。見慣れた機動鑑識班のワゴン車。深夜は捜査幹部を官舎に落として回るホステスバスになる。サイドの扉が開き、中からがっしりとした背広が地面に降り立った。大信田班長帰宅。午前一時ジャスト。

ワゴン車の発進と同時に相崎は走った。

呼び鈴に腕の伸びた背中に「班長」と一声。驚くでもなく振り返った岩盤のような顔が暗がりに目を凝らす。

「おっ、ケンミンの若きエースか」

機嫌がいい。直観でそう見抜いた。

「ちょっと、いいですか」

「たいした動きはないよ」

牽制しつつ、だが追い払う気配はない。顔には、月に一度拝めるかどうかの笑みさえ浮かべている。もはや疑う余地はない。老婆殺しの捜査は最終盤を迎えている。

ドアの向こうで、リリッ、リリッとスズムシの鳴き声がした。ふっと耳を澄ました班長を早口で引き戻す。

「長居はしません。一点だけ教えて下さい」

「なんだ？」

ひとっ風呂浴びて早く布団に転がりたい、と顔が言っている。

「イエス、ノー、で結構です。本ボシはバレエスクールの田所昌子校長ですね？」

班長の顔から表情が消えた。

沈黙。

「知らんな」

返答が遅すぎた。当たりだ。今ならまだギリギリで朝刊に突っ込める。

「どうもありがとうございました」

「おい待てよ。ちょっと上がっていかんか」

ウラを取られたと悟って焦った顔だ。

「僕は今夜ここに来ませんでしたし、班長にも会いませんでした。それでいいでしょ？」

相崎は半身の体勢で言った。

「まあ、待てって。足止め食わす気はねえよ。なんなら俺の家の電話を使って原稿送るといい。ただな――その昌子校長がジャンプしちまったんだ」

一瞬、息が止まった。吐く息で言う。

「高飛び……ですか？」

「明日の午後に指名をぶつんだ。朝刊で名前ズバリは勘弁してくれ。どうだ？　『容疑者浮かぶ　現場近くのＭ子』ぐらいで？」

「年齢も入れていいですね？」

「ああ、構わん」

ならば異存はない。指名手配の発表前に県民新聞は犯人を知っていた――それが読者に、いや、他社の連中にわかりさえすればいいのだ。相崎は班長の目を見つめて頷いた。

「よーし。それじゃ約束通りウチの電話を使ってくれ。玄関にある」

班長は官舎の呼び鈴を押した。

応答がない。静かだ。スズムシの鳴き声も消えていた。「寝ちまったのかな」と班長。もう一度押す。物音一つしない。居間の電気は点いたままだが。

班長は少々気まずそうな顔を相崎に向け、背広の内ポケットから鍵を取り出し鍵穴に差し込んだ。ノブが回り、ドアが開いた。オレンジ色の視界が開ける。下駄箱と電話台が目に入った。班長の後に続こうとして、だが、彼の大きな背中に阻《はば》まれた。

「班長？」

「……」

微動だにしない背中。

嫌な予感がした。なぜだか、した。

爪先立って肩越しに中を覗いた。いじらしいほど短い廊下の先、突き当たりの居間の床に女が倒れていた。カーラーの乗った頭。首に食い込んで伸びきったパンストが蛍光灯の灯をさざ波のように反射し、見開いた二つの瞳が無念そうに宙の一点を睨んでいる。

加奈子夫人が殺された。

不思議と恐怖感はなかった。すべての感情が停止してしまっていた。いや、意識下では無数のミクロの感情が蠢いていた。それらは早打ちする心音に急《せ》かされるようにして一つの塊になり、思いがけない単語に変化して脳を突き上げた。

ゲーム。

そう、ゲームだ。

暴かれた思いだった。この二年間、それこそ不眠不休でやってきた事件取材はただのゲームだった。先人の知恵も伝統も何もかも、そのゲームを楽しむためのアイテムに過ぎなかった。

6

殺人事件には死体が存在する。

そんな当たり前のことに、相崎は初めて気づいた。

五分後だったか、あるいは十分後だったか。

寝惚け顔の息子を班長が抱き上げた。そこまで見届けて相崎は車に戻った。

惨状を引きずった重い声で助手席に事態を告げると、智子の上体が跳ね起きた。

「ウソ。ありえないわ。だって私たち、ずっと官舎を見張ってたじゃない」

「きっと電話を掛けに行っていた間です」

車へ戻るまでの十数歩で出した結論だった。

智子は挑むように相崎を見つめた。

「だって、あったんでしょう？ 石粒よ。電話から戻った時に」

足元がフワッと浮いた気がした。

そう、誰もあのドアノブを回していない。窓が破られた形跡もなかった。

「赤石デスクの家へ行きます」

ゲームであろうとなかろうと、ここで投げ出してしまうわけにはいかなかった。相崎はシートを起こしてエンジンを掛け、ギアをバックに叩き込んだ。

赤石宅まではわずかな距離だ。砂利道はすぐ途切れ、休耕田の農道を突っ切り、小学校の脇を通って正面の神社の森を迂回。突如広い舗装路が現れ、そうするともう右前方に南大杉団地のシルエットが浮かび上がる。Tの字を左折して二軒目。行き過ぎそうになって急ブレーキを掛けた。

相崎は車を降りて敷地に駆け込んだ。二階家の灯はすべて消えていた。

呼び鈴を押す。四度、五度……。応答はなく、スズムシの声だけがする。その響きが班長夫人の死顔をフラッシュバックさせた。次の瞬間、パッと玄関の灯が点き、曇りガラスに小柄なスカート姿の影が映った。か細い声。

「どなたですか」

「相崎です。こんな時間にすみません。開けて下さい」

「会社の相崎さん？」

「そうです」

扉が開き、麻美《あさみ》夫人の強張った顔が覗いた。奥からドタドタと性格そのままの足音がしてパジャマ姿の赤石デスクが姿を現した。

「殺しです。大信田班長の奥さんが官舎で殺されました」

赤石のいかつい顔がみるみる赤く染まって、ニックネーム通りの面相になった。

「手口は？」

「絞殺です。パンストで」

屈《かが》んで履物を揃える麻美夫人のパンストの膝頭に思わず目が行った。

「よし、一報だけ社にブチ込め」

その地鳴り声は、新たなゲームの開始を告げる号砲に聞こえた。

赤石は「試験貸与」のシールが貼られた衛星電話を相崎に突き出し、自分は荒い手で加入電話の受話器をとった。カメラマンを現場に寄越すよう命じている。

相崎は頭の中で二十行ほどの原稿を組み立て、メモなしの勧進帳で「官舎殺人」の第一報を電話送稿した。時間、場所、被害者、死体の状況……。スズムシは鳴きやまない。班長夫人の無念さがそうさせているかのように。

「終わったら現場に戻れ。まずは検視と鑑識のネタを拾ってこい」

赤石は仁王立ちで命じた。オロオロする麻美夫人に頭を下げ、相崎は衛星電話を握りしめて車へ走った。ゲームに戻る。胸には微かな痛みがあった。

7

現場は一変していた。

おびただしい数の捜査車両の赤灯が重なり、殺気立った捜査員が怒号を発して行き交う。

相崎は——その半分は、官舎の最も近くにいた事件関係者として存在している。もう半分は新たな事件の取材を命じられた記者としての存在。官舎の中に次々と捜査員が吸い込まれていく。班長の姿は見えない。死体の、いや、夫人のそばにいるのだ。

官舎から一人の男が出てきた。枯れ木を連想させる細い体。倉石検視官だった。

元々が強面《こわもて》だ。どこか危機的な空気を纏《まと》っているので、記者の間では名前をもじって「クライシス・クライシ」などとも呼ばれる。官舎を訪ねればぐっと砕けるのだが、今夜は「クライシス」そのものでとても近寄りがたい。手にプラスチック製の虫カゴを下げている。玄関で鳴いていたスズムシだろうか。

「ぼんやりしない！」

背後で智子の声がした。

「妙なことになりそうよ。二階を見て」

右手の部屋だ。クレセント錠を外す安っぽい音がしてサッシ窓が開き、鑑識機材を手にした係員の頭が幾つかのぞいた。智子の指先が今度は左の部屋の窓に向けられた。そこに灯が点き、カーテン越しに数人の人影。

「あれが最後の窓なのよ。私、ずっと見てたの。居間も子供部屋も勝手口も風呂の窓も全部鍵が掛かってた」

「全部鍵が……」

最後の窓。そのカーテンが開き、カチャリとクレセント錠を外す音が聞こえた。

「そう。官舎のすべてのドア、すべての窓に内側から鍵が掛かっていたの。夫人はその中で殺されていた」

ドン、と心臓が打った。

「まさか……」

「そのまさかよ。私たちが張り込んでいた目の前で密室殺人が起こったの」

「そんな馬鹿な……」

「なにが馬鹿よ、これはあなたが作った密室なのよ」

「僕が作った……？」

智子は「慌てないで」と相崎を制し、いつ持ち出したのか、小わきに抱えていた夜廻りノートをペラペラ捲った。「赤石」の検印が上下に動き、はた、と止まって白い指が書き込みを指した。

「ここね――最後に夜廻りにきたのはホスト皆川。帰ったのが十一時半。この時まで夫人は生きていた。そして班長の帰宅が午前一時。彼女はこの一時間半の間に殺された。私たちが張り込んでいた官舎の中で」

「しかし……」

「そう。電話を掛けに行ったこの十七分間に殺されたのかもしれない。そのほうが自然。でも、あなたが密室を作った。ノブの上に置いた石粒がちゃんと密室を作り続けていた」

乾いた唾を無理やり呑み込み、相崎は官舎の玄関を指さした。

「あの玄関は、内側のノブのロックボタンを押しておいてドアを締めれば鍵が掛かります」

「でも犯人は外へ出るとき内側のノブを回すでしょ。なぜ石粒が落ちなかったの？」

「たまたま落ちなかったのかもしれません」

それを無視して智子は言った。

「相崎君、あなたずっとミラーを見てた？」

「ええ」

「ウトウトしたとか」

「ありません」

「だとすると——」

智子の口元が次の動きに移ろうとした時、背後で「君たち」と声がした。数人の私服が立っていた。後ろに「第一波」で相崎と智子のラブシーンを見物した制服の顔もあった。事件と聞いて慌てて赤い軽のナンバーを上に報告し、たったいま照会センターから「所有者・甲斐智子」の回答がきたところらしかった。

8

午前三時二十分。

闇に溶け込む県警本部ビル。相崎と智子は分厚い絨毯の刑事部応接室に通された。ソファに高嶋捜査第一課長と持田指導官代理が重たい顔でいた。少々気後れしたが、智子は動じるふうもない。勧められるままソファに腰を下ろし、相崎が後に続く恰好になった。

「やあ、相崎さん」

高嶋が目を細めてやんわりと言った。

「わざわざご足労いただきすみませんね」

いつもは若い記者など歯牙にも掛けない。相崎の名前にしたって、こうした事態になって初めて知ったと思える。

「強行の主任にすべてお話ししましたが」

東部署の固い椅子で一時間、何度も同じ話を聞かれた。それはまだ延々と続きそうだったが突然本部から呼び出しが掛かり、主任の恨めしそうな視線に送られてここへ来た。

「直接聞きたいんですよ。なにしろ、ウチの幹部の家族が殺されたわけですからね」

それは理解できる。相崎は一つ頷き、夜廻りノートを開いて説明を始めた。繰り返し主任に話した内容なので澱《よど》みなく言葉が出た。

一通り話を終えると、高嶋はペンの尻を自分の眉間に押し当て、上目遣いに相崎を見た。

「ドアを閉める手を見ましたか」

「手……？」

「毎朝の皆川さんが夜廻りから帰る時のことですよ。あなたは『皆川さんが出た後、内側からドアが引かれて閉まった』と言った」

「ええ」

「その時、ドアを閉める夫人の手を見たかどうか、それを聞いてるんです」

皆川はいま取調室にいるのだと悟った。警察が密室殺人などという事を本気で考えるはずもない。痴情のもつれでホスト皆川が夫人を殺し、内側のロックボタンを押しておいてドアを閉めた。そういう筋読み。

「どうです？　見ましたか」

相崎は答えに窮した。手は見なかった。だが確かにドアは内側から引かれて閉まった。

「確かに内側からでした」

「手は？」

「……覚えていません」

高嶋と持田の体が同時にソファに沈んだ。

「あの――」

タイミングを計っていたかのように智子が口を開いた。

「聞くばっかりでなく、私たちにも少しは教えて下さい」

高嶋は面食らった様子で、気まずそうに一つ咳払いをした。

「何をです？」

「亡くなった夫人の死亡推定時刻です」

高嶋が鼻で笑った。

「解剖をしてみないと、なんとも……」

「それじゃあ、夫人の直腸内温度を教えて下さい。それなら現場で計ったでしょ？」

「四度ほど下がってたな」

声は後ろからした。振り向くと、倉石検視官が腕組みをして立っていた。

「検温時刻は？」

智子が畳みかける。

「午前一時半だ」

「倉石——」

高嶋が声を荒らげたがもう遅い。この時季、腸の中の体温は死亡時を境に概《おおむ》ね一時間に二度下がる。検温を一時半にやったのだから、死亡推定時刻は二時間前の午後十一時半前後。ちょうど皆川が官舎を出た時分だ。警察が皆川にこだわる根拠が読めた。そしてもう一つ。殺人は電話を掛けに行く前に起こった。相崎らが張っていた真ん前の官舎でだ。犯人はいつ侵入し、いつ逃げたのか。いや、ひょっとして本当に皆川が——。

「気が済んだのなら帰れ」

倉石が言った。捜査協力に対する返礼を終えた顔。あるいは検視結果以上に重要な報告を胸に秘めた顔だった。

9

県警本部ビルの玄関でタイムスの花園愛が待ち伏せしていた。智子に無遠慮な視線を這わせつつ、さっそく得意の皮肉を口にする。

「アタシの夜廻り、見物してたんだって？」

続いて吐いた台詞も揮《ふる》っていた。

「ねえ、取り引きしよう」

「取り引き？」

「そう。あなたはあなたの見たことをアタシに教える。アタシは夜廻りで班長の奥さんと話したことを言う。どう？」

「奥さんと話したこと……？」

「ダメダメ、あなたから先に言わなきゃ」

相崎は取り引きを断った。ゲームへの嫌悪感は腹にしまったつもりだが、嬉々《きき》としてゲームに興じる同業者に与《くみ》する気にはなれなかったし、なによりひどく眠かった。

もう東の空が白んでいる。相崎は車に戻り、ドアを開け、が、もしやと後ろを振り返った。

案の定、智子が花園愛に何やら話しかけている。

相崎はシートを倒して目を閉じた。

犯行時間はわかったが……なぜ官舎の真ん前にいた相崎たちが物音に気づかなかったのか。手口は絞殺……。背後からの不意討ちならば声をあげる間もなく……。ありえる。

智子が勢いよく助手席のシートに腰を落とし、相崎に添い寝していた睡魔を追い払った。

「ホント、あの子ったら凄い棘ね。でも聞き出したわよ。班長夫人の言葉」

「なんて言ってたんです？」

「あの子にこう言ったそうよ。『夕方ウチに無言電話があったのよ。もう気持ち悪いったらありゃしない。あなたも女の一人暮らしなんでしょ？　だったらおかしな人には気をつけなきゃね』――どう？」

驚くべきことかどうか判断しかねた。

「それを聞いて私ハッとした。私たちはホスト皆川の登場辺りから事件を考えていたけど、もっと時間を遡《さかのぼ》って考える必要があると思う。ううん、時間だけじゃなく、なんていうかもっと広く、大きく、事件全体を――」

再び睡魔の吸引力が強まった。

「今回は私たちも事件の関係者なんだから。自分たちの行動も客観的に見なくちゃいけないのよ。それではじめて事件全体を見たことになるんだと思う」

10

県民新聞の「官舎殺人前線取材基地」は赤石デスク宅に置かれた。

相崎は一時間ほど仮眠をとった。夕刊用の原稿を書き飛ばし、デスク宅に着くともう昼を回っていた。赤石デスクや同僚記者の姿はなく、台所に立った麻美夫人が黙々と握り飯を作っていた。その夫人のエプロンの裾を今年小学校に上がったばかりの和夫がしっかり摑み、そうしながら片手で冷蔵庫の牛乳パックを取り出そうとしている。

　声を掛けたが、ちょうど上空を通過した取材ヘリの轟音にかき消された。スーパーの袋を提げた智子が廊下を横切った。台所の夫人に袋と釣り銭を渡し、和夫の頭を撫でながら相崎に目配せした。玄関に回れと言っている。

「よく眠れた？」

「ええ」

「変わったことは？」

「毎朝の皆川が釈放されたそうです」

「当たり前よ。ホスト皆川は真っ白け」

　あっさり言われて相崎は驚いた。

「なぜです？」

「あなたも見たでしょ。彼を官舎に迎え入れた時、班長夫人はカーラーを外してた。でも死体の頭にはカーラーがあったじゃない」

「あっ……」

　死んだ人間は自分でカーラーを巻けない。要するに皆川が帰ったとき夫人はまだ生きていて、カーラーを巻き直した後に殺された――。

相崎は反射的に詰問口調で言った。

「なぜゆうべ、そのこと黙ってたんです？」

「お灸よ。色仕掛けでネタ取ろうなんて男は狭い部屋で少し反省した方がいいと思ったの」

相崎は頷くしかなかった。

「私も夜廻りっていうのやってみたいなあ」

「えっ？」

「ほら、ゆうべの倉石さんて人。なんか気が合いそうだし」

一瞬、思った。倉石と智子が組んだら日本中の未解決事件が決着するのではないか――。

「あ、駄目ですよ、夜廻りなんて。それこそクライシスです」

「なにそれ？」

「いえ倉石さんは色々と女性の噂があって……」

「もう、真に受けちゃって。行かないわよ。それより考えてみた？　客観的視点のこと」

考えてはいる。だが皆目わからない。

「私、ずっと考えてた。それで気づいたの。自分たちを客観的に見るっていうのは、結局、自分たちの役割を考えるってことだって」

「役割……。何の役割です？」

「事件の中で果たした役割よ」

「石粒のことですか」

「もちろん、それもある。でもそれだけじゃなくて——」

言葉が宙に消えた。

始業だか終業だか、聞き慣れたチャイムの音が風に乗って届いていた。少し遅れて子供たちの金属的な歓声が聞こえてきた。その声のほうへ智子が顔を向け、なびいた髪が頰を覆った。

相崎は息を呑んだ。

智子の瞳が見開かれている。見開かれたまま動かない。何か重大なことに気づき、戦慄した瞳だった。

学校のチャイム。子供たちの歓声。

戦慄は相崎にも訪れた。

二人同時に台所を振り返った。一年生の和夫は麻美夫人のエプロンにしがみついたままだった。夫人のパンストのふくらはぎが微かな光を放っていた。

「ご苦労！」

背後で赤石デスクの声がした。

相崎と智子は振り向かなかった。

見えたのだ。事件の中で自分たちの果たした役割が。

11

二日後、殺人容疑で赤石デスクが逮捕された。

その場に相崎と智子もいた。出頭を促していたが赤石は聞き入れず、そうするうち逮捕状を手にした捜査員が赤石宅に踏み込んだ。観念した赤石は「お前が書け」と言い残して捜査車両の後部座席に消えた。

官舎殺人は、「先人の知恵と伝統」に則《のっと》ったゲームだった。

事件当日、赤石は早番の仕事を終えて一旦自宅へ戻り、それから歩いて班長の官舎へ行った。こっそり建物の裏へ回り、会社から持ち帰った衛星電話で班長宅に無言電話を掛けた。夫人が電話のある玄関へ向かった隙に勝手口から侵入し、二階に上がって押入れの中に身を潜めた。そこで深夜までジッと動かずにいた。九時間という張り込みの最長記録を持っている赤石でなければ思いつかない計画だったと思う。

相崎は赤石に命じられた通り、班長宅へ夜廻りに行き、張りを開始した。赤石は押入れの中で「定刻」を待っていた。デスクとして夜廻りノートをチェックしていて知った、班長夫人と噂のある皆川の夜廻りを待ったのだ。コーヒーを振る舞われたその皆川が官舎を出た直後、階下に下りて夫人を殺害した。

そして衛星電話で相崎のポケベルを呼び出した。続けて二度鳴らし、重大事件発生かと相崎が公衆電話へ走った隙に、玄関ドアのロックボタンを解除し、勝手口から官舎を出た。外から玄関に回り、ノブの上の石粒を一旦回収した。官舎に入って勝手口の鍵を掛け、廊下を抜けて玄関ドアから戸外に逃れた。その際、内側のノブのロックボタンを押しておいてドアを閉じる施錠方法を使い、元通り外側のノブの上に石粒を置いて密室を完成させた。

完璧なゲームだった。

だが、その後に幾つかの綻びが生じた。

班長夫人殺害を知った相崎と智子は赤石宅に急行した。家は真っ暗だった。飛び出してきた赤石は寝巻姿だった。なのに麻美夫人はスカート姿でパンストまで穿いていた。夫のしたことに薄々勘づいていたのだろう。不安だった。怯えていた。だから着替えもせずにあの時間まで起きていた。

相崎と智子が事件の背景を知ったきっかけも赤石宅にあった。学校のチャイムと子供たちの歓声……。あの日は平日だったということだ。なのに和夫は家にいた。病気で臥せっていたわけではなく台所で夫人に甘えていた。学校で担任教諭から聞き出した。和夫が班長の息子の豊にひどいいじめを受け、不登校を続けていることを。

赤石の自供によれば、班長夫人は夜廻りに来る記者を「ハエ」と呼んでいた。ブンブンうるさいハエだと罵《ののし》っていた。その影響を豊が受けた。「ハエの子はウジだ」「ウジはクソにたかってろ」。毎日のように和夫を地面に這いつくばらせた。和夫は幼い時分から体が弱かった。やっとアトピーが治りかけたと思ったら今度は喘息だった。病院と縁が切れず、しかし、「学校は楽しい」といつも嬉しそうに話していたという。

だから殺した。赤石はそう供述した。夫人を殺し、息子の豊にも最大級の苦痛を与えてやろうと考え、実行した。

上司が犯罪者となる。その記事を書く。相崎はゲームでは決してない、記者の仕事の一面を知った気がした。この先、自分の親兄弟や友人の記事を書くことだってある、という覚悟だ。

わからないことが一つある。

警察はなぜ赤石を班長夫人殺しの犯人と睨んだのか。

捜査員は唐突に赤石宅に踏み込んできた。あの時点ではいじめの話を摑んでいなかった。端緒は何か。頭に浮かんだのは倉石検視官が手にしていたスズムシだった。

それを探るべく智子は本当に倉石の官舎に「夜廻り」を掛けた。とても歯が立たない、煙に巻かれたと言っていた。なのに驚くほど上機嫌だった。倉石から聞けたのはスズムシの生態だけだったという。スズムシは暗い場所を好む。順応性が高く、置かれた環境に慣れると少しの物音では鳴きやまなくなる。鳴きやんでも、すぐまた鳴き始める――。

事件の夜、班長が官舎の呼び鈴を押した途端にスズムシは鳴きやみ、それきり沈黙した。玄関に置かれて間もなかったからだと考えていい。官舎の電話の場所などを下見するため、事前に犯人がスズムシを届けていた。倉石はそう読んだのかもしれない。今回の一件があって知ったことだが、どこかの県では「スズムシ外交」なる記者用語があるらしい。取材対象者への手土産にする。酒やプロ野球のチケットでは相手が警戒して受け取らないが、これがスズムシとなると抵抗なく納めてくれるのだという。そんな話を倉石が知っていた可能性はある。

赤石が班長宅にスズムシを届けていたという仮説には、ならばなぜ赤石はスズムシを回収しなかったのか、という反問が浮かぶ。虫カゴに指紋を残すようなヘマはしないにしても遺留品は残したくないはずだ。探したが見つからなかったということか。鳴き声は確かに聞いたが、相崎も玄関で虫カゴを目にした記憶はない。犯行時の物音や足音でスズムシが鳴きやんでしまった。時間もなかった。まごまごしていれば相崎が官舎に戻ってきてしまう。だから赤石は探し出せなかった。

虫カゴはどこにあったのか。

下駄箱の中にあった。それが目下の結論だ。倉石の言を借りればスズムシは暗い場所を好む。班長夫人はそのことを知っていた。あるいは赤石の「スズムシ外交」を好ましく思わず下駄箱に押し込んだ。それでも埋まらない謎は多い。なにより不可解なのは、倉石と会ってからというもの、智子がまったく事件の話に乗ってこなくなったことだ。いったいどんな魔法をかけられたのか。

　事件発生から十日。赤石宅の縁側からスズムシの飼育箱が押収されたという情報はある。赤石が実際にスズムシを届けたかどうかはいまだに不明だ。昔、赤石と「ミス県警」だった班長夫人の間に何があったかもはっきりしない。自社のデスクが殺人犯となった重大性に鑑み、県民新聞はこの事件に関する夜廻りを自粛している。

鉢植えの女

1

彼のキスは魔法だ。

唇と唇が触れる瞬間、いや、いま触れるのだと考えただけで淫靡《いんび》な電流が生じ、それはあらゆる性感を刺激しながら身体中を駆け巡って心までも痺れさせる。脱力。目眩。言い知れぬ陶酔。彼なしではもう生きられない。なのに——。

半月も携帯が繋がらない。こちらから掛けても留守電ばかり。捨てる気？　それとも新しい女ができた？

裕子《ゆうこ》は痩せ細った思いを抱きしめながらアパートの外階段を上がった。冬は駆け足でやってきていた。容赦なく吹きつける北風が頬を打つ。

連絡せずに来てはいけない。だが、その連絡がつかないのだ。裕子は彼との約束を破り、合鍵でドアを開けた。午後十一時。奥の六畳間に灯があった。足音を忍ばせ、襖《ふすま》をそっと開く。暖かい。暑いと感じるほどだ。壁のエアコンがついている。セミダブルのベッドに彼。寝息を立てている。女。いない。少なくとも今は――。

ガラステーブルの上にサルビアの鉢植えが置かれている。裕子が朝市で買い求め、彼にプレゼントしたものだ。真っ赤な花弁が、五つ、六つ、テーブルの上に落ちて散らばっていた。

――うそ。

部屋は南国のように暖かい。なのになぜ花が落ちてしまったのか。わずか二週間前、サルビアはこの世に生を受けた喜びを謳歌するかのように瑞々しかった。なのに花は無残に落ちている。まるで恋の終わりを告げるように。

悪い勘はいつだって当たる。

ベッドの枕元の灰皿に動かぬ証拠があった。吸殻の山。その中に一本、吸い口が赤く染まった煙草が覗いていた。サルビアの赤が、くすんで見えるほどの鮮やかな赤。自分の華やかさに自信たっぷりの女が、ためらいもなく引く口紅の赤。その真っ赤な唇は、絹のように滑らかな彼の唇に触れたのだ。あの淫らで甘美な魔法のキスを思う存分味わい――。すとん、と足元の感覚を奪われた。深い穴に落ちた気がした。そのまま裕子は床にへたり込んだ。放心。絶望。泣く気力すら湧いてこなかった。

テーブルの上のグラスに手を伸ばした。三分の一ほど残っていたウイスキーを呷《あお》った。噎《む》せた。背けた顔が暗い窓に映って裕子は小さな悲鳴を上げた。老婆。光の陰影がそう見せた。

四十五歳……。女でいられる時間はそう長くない。彼の寝顔に目をやる。改めて思い知らされる。街でも飲み屋でも女の気を引かずにおかない、そんな男の色気溢れる彼が、出会い系サイトで知り合った、ひと回りも年上の女を本気で愛したりするものか。

午後十一時半……。帰らねばならなかった。孫はまだかと十八年間言い続けてきた姑。いまだにその姑の作ったものを食べたがるマザコンの夫。オギノ式の裏をかいて、冷たい体と冷えきった心を裕子に被せ続けた。何年も裕子だけに不妊治療を強いた。もういいよ。なぜその一言が夫には言えないのだろう。道具。人形。奴隷。それでもあの家に帰らねばならないのか。

午前零時……。終電は行った。彼の寝顔を見つめていた。深酒をしたのだろう。眠りは深かった。新しい女を相手にして精も根も尽き果てた。そうなのかもしれない。午前一時……。一時半……。涙が止まらなかった。悲しいのか、悔しいのか、もうわからなくなっていた。

午前二時……。裕子はバッグの底から小さな薬瓶を取り出した。中にカプセルが一つ。インターネットで購入した青酸カリ。そんな物騒なものがわけもなく手に入る時代……。いつかこれを飲む。漠然とそう考えていた。夫と姑に使う。そんな黒々とした想像を巡らせたこともあった。彼を自分一人のものにする。最初からそうしたくて買ったのだと今は思う。

新しい女……。真っ赤な口紅の似合う女……。小娘ではない。大人の女なのだ。勝てっこない。どう足掻《あが》いたところでもう彼を引き戻すことなどできやしない。くたびれた中年女。

縋ることしか能のない女。皺が怖くてうまく笑いかけることすらできない女……。

裕子はカプセルを口に含み、膝でベッドに上がった。彼の寝顔が間近にある。

――ごめんね……。他の誰にもキスさせたくないの。

目を閉じる。顔を寄せる。唇が近づく。彼の息づかいを感じる。きた。官能を呼び覚ます微電流。身体の芯に火が点いた。めくるめく快感。駆け回り、貫かれ、身も心も痺れてゆく。たった半年の付き合いだった。けれど掛けがえのない、たった一つの恋だったと思う。この世でたったひとり愛した男。お前は可愛い。そう言ってくれたことだってあった。

――一緒に……いいよね……お願い……。

裕子は唇を重ねた。

触れた唇にチクリと微かな痛みを感じた。同時に奥歯でカプセルを嚙み砕いていた。後頭部に雷が落ちたような衝撃があった。意識が遠のくのを感じながら裕子は唾液を口移しにした。最期のディープキス――。

二人の体内に致死量の青酸カリが取り込まれた。彼の四肢が鉄棒のごとく突っ張った。裕子はその体にしがみついていた。わかる。同じことが起こっている。体の中に巨大な怪物が放たれたのだ。牙と爪と炎が狂ったように暴れまくる。悶絶のさなか、いや、あまりの苦痛に、それが苦痛だと感じることさえできなくなった時、裕子は不思議なものを目にした。

枕元の灰皿……。吸い口に残された口紅の赤……。違う。赤くない。ワイン色……。いや、それは焦げ茶色に近いような……。口紅が色を変えた。いったいなぜ……？

絶命の瞬間、裕子はその理由に思い当たった。だが、それでもいい。これでいい。そう思った。彼と唇を重ねて死ぬ。それ以上の幸福な死に方が、この先の人生に待っているはずもないのだから——。

2

北風は朝になっても吹き荒れた。

午前十時。検視官心得の一ノ瀬が現場に臨場した。

死者。男——筒井《つつい》道也《みちや》。三十三歳。アサヒ電気L工場製品管理係長。東京に妻子。単身赴任。

死者。女——小寺《こでら》裕子。四十五歳。ディスカウントショップパート事務員。山根市内で夫と義母の三人暮らし。

身元が割れた時点で事件のあらましが知れた。双方が家庭持ちのダブル不倫である。泥沼の関係が行き着いた先の心中事案。だが——。

一ノ瀬は頭から予断を追い払って検視に取り掛かった。いつにもまして緊張と気負いがある。今日こそは完璧な検視をしたい。倉石調査官が到着するまでに、この部屋で起こった出来事のすべてを解明する。ミスは許されない。これは「倉石学校」の卒業試験なのだ。そんな思いでこの現場に臨んだのは、三日前、高嶋捜査一課長に呼ばれ、警察庁に出向しないかと内々に打診を受けたからだった。

栄転――。

一ノ瀬は雑念を振り払った。

ベッドの上に筒井道也の死体がある。仰向《あおむ》け。悶絶死を留《とど》めた凄まじい形相だ。そのすぐ下の床に体を横向きにした小寺裕子。こちらは穏やかな死顔だった。微かに笑みを浮かべているようにさえ見える。表情の違いを除けば二つの死体現象は酷似していた。ともに顔面と死斑は鮮紅色。口唇がひどく爛《ただ》れ、吐瀉物が独特のアーモンド臭を放っている。鑑識に青酸試験をさせてみると、思った通り、二人の口唇から強アルカリ性付着物が検出された。

青酸化合物を使用しての情死とみて間違いなさそうだ。が、双方合意の上での心中とするには疑問があった。筒井はパジャマ代わりのジャージ姿。片や裕子は通勤着のままだ。この種の事件では極めて高い確率で残存する「最期の情交」の痕跡もない。さらには裕子の右胸上部に卵大の打撲痕が認められた。裕子がベッドの下で死んでいたことを考え合わせれば、苦しみ悶えた筒井が裕子を突き飛ばしたと推測できる。

小寺裕子が一方的に仕掛けた無理心中事案――一ノ瀬が出した結論はそうだった。

その結論を裏付ける情報が所轄の刑事から次々と上がってきていた。裕子が会社で使用していたパソコンを調べたところ、毒劇物を密売するブラックなサイトにアクセスした記録が残されていた。昨夜は午後十一時頃、この部屋に入るのをアパートの住人に目撃されていたが、ひどく思い詰めた様子だったという。

一方の筒井は会社の同僚に裕子との関係を漏らしていた。出会い系サイトで引っ掛けた年増の人妻。ちょっと遊ぶつもりが本気になられて困っている。いま別れ話を持ち出したら何をされるかわからない。徐々に距離をとって熱を冷まし、東京本社に戻るまでにどうにか手を切りたい——。

それらの情報は一ノ瀬を満足させたが、しかし同時に苦い思いを胸に湧き上がらせもした。筒井という男の無慈悲な心の裡がわかりすぎるほどわかってしまう。不倫関係の清算。一ノ瀬も以前、筒井とまったく同じ思考の道を歩いた。

筒井が「東京」を転機と考えていたという話も一ノ瀬の気持ちをさざめかせていた。警察庁刑事局への出向。極めて魅力的な話だった。行くとなれば現在の警部から警視に昇任しての出向となる。箔が付く。将来も約束される。少し前までの一ノ瀬ならば、行かせてほしいと即答しただろう。

無論、行くつもりではいる。にもかかわらず、家庭の事情を口実に回答を保留したのは、ただ一点、直属の上司である倉石の反応が気掛かりだったからだ。

鋭利な検視眼を武器に刑事部内で一家を成す倉石は他の干渉を許さない。上の命令など平気で撥《は》ね除《の》ける。痛快だ。失敗をまず恐れ、組織の階段をおっかなびっくり上がってきた一ノ瀬にしてみれば、倉石の蛮勇はまさにカルチャーショックの連続だった。下について二年半、組織の呪縛に囚われることなく、倉石のように一匹狼を貫いて生きてみたいと夢を見ることもある。だが——。

当然のことながら上は組織の異物を疎んじている。とりわけ、プライドが高く検視官の経験者でもある高嶋課長が倉石を忌み嫌っているのは周知の事実だ。倉石にはまだ話すなよ。出向を打診した高嶋はそうクギを刺した。踏み絵を踏まされた思いがした。倉石か、この高嶋か、お前はどっちについていくのか、と。

高嶋は組織の中枢を真っ直ぐ歩いてきた刑事部のサラブレッドだ。数年後の部長就任も確実視されている。一ノ瀬の腹は固まっていた。所詮、倉石のようには生きられない。東京行きの切符をみすみす出世競争のライバルに譲れる自分でないことも嫌というほどわかっている。だが、倉石という男を知ってしまった今、損得勘定のみで道を選択することに忸怩《じくじ》たるものもある。詰まるところ、堂々と胸を張ってこのポストを離れたい。一端《いっぱし》の検視官になった。卒業だ。そう倉石に認めさせたうえで——。

「イチ、なにボケッとしてんだ」

ハッとして振り向くと、すぐ後ろに倉石の顔があった。ひどく浮腫《むく》んでいる。ゆうべは相当飲んだに違いない。朝方、官舎に電話を入れたが不在で、携帯を鳴らすと何度目かに起き抜けの声で応答があった。どこに泊まったのやらわからない。若い時分に離婚し、その後はずっと独身を通しているが、倉石の身の回りの世話をしたがる女が一人や二人ではないことは一ノ瀬も承知している。

「夏みてえだな、この部屋は」

酒臭い息を撒き散らしながら倉石は部屋の中を見回した。挨拶代わりに言っているわけではない。倉石の検視哲学は「現場七割。死体三割」——。

「エアコンがつけっぱなしの状態でした」

「何度あったよ？」

「私が入室した時は二十六度でした」

大丈夫だ。抜かりはない。一ノ瀬は自分に言い聞かせつつ、室内を見て回る倉石の背後についた。

「争った形跡はありません。サルビアが幾つも花を落としているのが気になりましたが、揺らされたのではなく、茎が枯れかかっているために自然と花が落ちたようです」

「ああ、そう見えるな」

「そのグラスには筒井と裕子の両方の指紋がありました。飲み口には裕子の口紅の跡も付着しています」

「酒に混ぜて青酸を呷ったってことか？」

「いえ。グラスからはアルコールだけで青酸は出てません——おそらくはカプセル状のものを直接嚙み砕いて使用したと思われます。バッグのわきに転がっている、その小さな薬瓶に入れて持ち込んだのではないかと」

倉石は納得したふうだった。しばらく無言で検視を続け、だるそうに首を回しながら一ノ瀬を振り向いた。

「お前の見立てを言ってみろ」

「はい――」

一ノ瀬は生唾を飲み下した。ここからが「倉石学校」の卒業試験だ。

「本件は小寺裕子による無理心中事案と思慮されます。裕子は昨夜十一時頃、合鍵を使って部屋に侵入。酔って寝込んでいた筒井道也にカプセル内の青酸を口移しによって体内に送り込んで殺害。同時に自らも青酸中毒で死亡したものとみられます。死亡時間は、二人の死後硬直の進み具合、体温の降下状況、角膜の混濁の程度、部屋の温度などを総合的に勘案した結果、午前二時頃と推定します」

倉石はジロリと一ノ瀬を見た。

「妙じゃねえか」

「えっ……？」

「十一時に侵入。くたばったのが午前二時。女は三時間も何をしてたんだよ」

一瞬、頭が真っ白になった。

何をやっていた？　わかるはずがない。それは検視の領域を超えている。

「……わかりません」

「じゃあ、二人の指紋がついたグラスはどうみてるんだ」

「筒井の飲み残しを裕子が飲んだのだと思います」

「なんでだよ。三時間もいたんだ。二人で飲んでたって考えるほうが自然じゃねえのか」

「飲み口に付着していた口紅の跡は一カ所だけでした。指紋のほうも、裕子がグラスを一度摑んだだけであることを示しています」

うまく答えられたことで一ノ瀬は落ち着きを取り戻した。「現場七割」は実践している。死体を視る前に室内を徹底して調べた。倉石といえども付け入る隙はないはずだ。

が、倉石の質問はまたしても一ノ瀬の意表をついた。

「なんでゆうべだったんだ？」

「えっ……？」

「なんで女はゆうべ男を殺したのか、って聞いてるんだ」

「ですからそれは……不倫関係のもつれで……」

「そんなことは聞いてねえ。お前の説によりゃあ、女は三時間も部屋にいながら寝ていた男を起こすこともしてねえ。別れ話も恨み言もなしに、いきなり無理心中を仕掛けたってことかよ」

「それは……」

一ノ瀬は口ごもった。確かに不自然な話ではある。

「どうした？　ちゃんと説明してみろ」

「……既に別れ話が持ち上がっていたということではないでしょうか」

一ノ瀬はその場逃れの憶測を口にした。いや、きっとそうに違いない。所轄がまだ情報を摑んでいないだけなのだ。筒井は裕子に別れ話を持ちかけていた。裕子は拒み、二人の関係は修羅場となっていた。だとすれば、裕子の頭には最初から無理心中の計画があった、部屋に来て迷った末に実行した、ということで辻褄が合う。

倉石は目を剝いた。

「作り話をするんじゃねえ！」

一ノ瀬は硬直した。縮み上がった心の傍らに、微かだが怒りが頭を擡《もた》げてくるのを感じた。

なぜゆうべ男を殺した？　動機？　犯行の引き金？　それを解明するのは刑事の仕事ではないか。前に倉石は相沢ゆかりを殺した犯人を言い当てた。だが、きっかけは検視ではなく、ドアの開閉音だった。検視ですべてがわかるわけではない。この現場もそうだ。自他殺の判定。死因。犯行状況。死亡推定時間。検視で得られる事実はきちんと突き止めた。なのになぜ倉石は執拗に一ノ瀬を責め立てるのか。

――知ってるってことか？

倉石はどこかで一ノ瀬の出向話を耳にした。それで腹を立てている。東京行きを勧めたのが高嶋課長であることが気に食わない。打診されたことを秘している一ノ瀬にも苛立っている。そういうことか。顔を潰されたと思っているのかもしれない。無頼を気取っているだけで、実際にはその程度の度量の男か。部下の栄転を喜ばず、それどころか逆恨み的な感情を検視の現場に持ち込んできた――。

胸に失望感が広がった。

一ノ瀬は倉石の目を見据えた。

「調査官――検視で犯行の動機や引き金まで知るのは無理です。そのことは調査官が一番よくご存じのはずではないですか」

「わかると言ったらどうする？」

一ノ瀬は目を見開いた。

わかる？

倉石の刺すような眼光が近かった。

「イチ――お前、誰のために検視をしてるんだ？」

「えっ……？」

「確かに不倫絡みの心中なんて珍しくもなんともねえ。どこにでも転がってるクソ話だ。けどな、どこにでもあるクソ人生でも、こいつらにとっちゃ、たった一度の人生だったたってことだ。手を抜くんじゃねえ。検視で拾えるものは根こそぎ拾ってやれ」

返事ができなかった。

不完全な検視。倉石がそう言っていることは明らかだった。警察庁出向の件ではない。倉石は一ノ瀬が執行した検視の見立てに腹を立てていたのだ。

だが、いったい……。

「調査官――」

言いかけた時、所轄の若い刑事が部屋に駆け込んできた。

「失礼します！　小田切市内の民家で自他殺不明の変死体が発見されたそうです。至急、調査官に臨場してほしいと高嶋捜査一課長から無線連絡がありました」

倉石は首を捻った。

「一課長が現場にいるってことか？」

一ノ瀬は胸騒ぎを感じた。

検視官より先に本部の捜査一課長が現場に到着している。滅多にあることではない。段取りがまるっきり逆なのだ。自他殺不明の死体が発見された場合、通常ならまず検視官が現場に臨場し、それが殺しと判定された時にのみ一課長が現場に赴く。一課長は県下すべての重要事件の捜査指揮を執る刑事部の要だ。いちいち自殺や事故死の現場に出向いていたら、挙げねばならない事件の捜査が立ち行かなくなる。

なのに、だ。その高嶋捜査一課長が今、自他殺もわからない変死現場で倉石のことを待っているという。

高嶋は何かを企んでいる。そんな気がした。倉石も同じことを考えたのかもしれない。眉間に怪訝そうな皺をつくり、検視バッグを手荒に摑み上げた。

話しておいたほうがいい。一ノ瀬は背を押される思いで口を開いた。

「調査官」

「何だ？」

「実は、高嶋課長から本庁へ出向しないかと打診を受けております」

一ノ瀬に向けた瞳に微かな驚きの色があった。やはり倉石は知らなかったのだ。

「そうか」

反応はそれだけだった。

寒風吹きすさぶ戸外へと出ていく極細の背を一ノ瀬は複雑な思いで見送った。

倉石と高嶋の争い。それは一ノ瀬の処遇や将来に深く関わってくるだろう。倉石に義理立てした。高嶋に口止めされた出向話を話してしまった。不安が掻き立てられる。手のひらと額に脂汗が滲《にじ》む。

だが……。

一ノ瀬は部屋を振り向いた。

目の前には現場がある。

〈お前、誰のために検視をしてるんだ〉

見透かされていた。

自分のため。

――違う。それだけじゃあない……。

一ノ瀬は息を吸った。胸が苦しくなるほど深く吸い込み、それを一気に吐き出して、部屋の中を改めて見回した。

大画面テレビ。ファックス付き電話機。二人掛けのソファ。カレンダー。電気スタンド。ラジカセ。ハンドバッグ。薬瓶。ガラステーブル。グラス。ウイスキーのボトル。サルビアの鉢植え。灰皿。ベッド。そして、二つの死体……。

〈どこにでもあるクソ人生〉

〈たった一度の人生〉

〈検視で拾えるものは根こそぎ拾ってやれ〉

それこそが卒業試験の課題だと悟った。

だが、何をどう調べればいいのか見当がつかなかった。狭苦しいアパートの一室が、一ノ瀬には地図も標識もない広大な荒れ野に感じられていた。

3

ひっそりとした神社の裏手にある平屋建ての民家。地下室への階段。埃っぽい書庫。男の死体――。

ひと通り現場を見て回った高嶋捜査一課長は、近くの空き地に停めた課長専用車の後部座席に戻っていた。所轄からの一報はズバリ「殺し」だったが、実際に現場を見た高嶋の目は幾つもの否定材料を発見していた。

「倉石はまだか」

慌てて運転手が振り向く。

「向こうの現場は出たそうです。まもなく到着すると思います」

「急がせろ」

臨場の順序があべこべになったが、恣意的にそうしたわけではなかった。誰の目にも明らかな殺しとあらば、検視官を呼んで自他殺の判定をさせるまでもない。速やかに一課長が現場に赴き、捜査を立ち上げる。この地下書庫の現場はそのケースに当てはまっているかに思われた。第一発見者。通報で駆けつけた交番の制服。さらには所轄の刑事課員までもが殺しと判断して本部に情報を上げてきたのだ。

無理もなかった。以前、検視官を四年務めた高嶋でさえ最初は殺しとみた。いや、万一のことを考えて捜査は殺しの線で継続させてある。あとは倉石の判断だ。奴はこの現場を見てどんな結論を出すか。

胸に一つの思惑があった。

——メッキを剝《は》がしてやる。

捜査指揮に私情は禁物だ。だが、たまたま臨場の順序が逆になったこの偶然を利用することに背信の思いはなかった。

高嶋は五分前に見た現場の光景を思い浮かべた。検視の力量を試すにはうってつけの現場だった。奥行き約七メートルの細長い地下書庫。左右の壁には天井にまで達する作り付けの書棚があり、書籍や資料類がぎっしり詰まっていた。天井に裸電球。出入りは鉄扉の一カ所。地下だから窓はない。

その部屋のほぼ中央に、郷土史家を名乗る上田昌嗣《うえだまさつぐ》五十八歳が、前のめりにうずくまるような恰好で死亡していた。頭頂部寄りの右側頭部に鈍器によるものと思われる長さ約三センチの皮膚裂創があり、下の頭蓋骨にも微かな亀裂が認められた。司法解剖してみないとはっきりしたことは言えないが、死因はおそらく脳挫傷だろう。その致命傷のすぐ近くに表皮剝脱が三カ所。いずれも鈍器による擦過傷とみられる傷だ。死後硬直は既に融解。寒冷期に入っていることを考えれば、死亡時から少なくとも五日は経過している。床は埃っぽく、上田が着ていたセーターの背中や、その下のシャツにも多量の埃が付着していた。

「凶器」は死体のすぐ右わきに転がっていた。重量三キロのダンベル。拳骨のように膨らんだ部分の片方に顕著な血痕。指紋はなし。ダンベルの横に微量の血痕が付着した白い男物のハンカチ。死体のすぐ前に三色ボールペン。そして、そのボールペンで書かれたと思われる床の文字——。

高嶋は懐を探ってメモ帳を取り出し、頁を捲った。これだ。

時来たり須藤の山芋うらめしや

十七字の短詩の形をとってはいるが、俳句を嗜《たしな》む高嶋にしてみれば苦笑するほかなかった。おそらく、川柳や狂句といったものにもあてはまるまい。上田は市役所の住民課勤務を定年前に辞めて郷土史の研究に没頭していたというが、この言語感覚の貧しい「短詩」を見る限り、本業の研究のほうも怪しく思えてくる。

それはともかく、上田の筆跡による床の一文を、所轄の捜査員が「ダイイングメッセージ」として受け取ったのは至極当然の成り行きだったろう。冒頭の「時来たり」は、死期が迫った、と読める。そして、「須藤」という人間を名指ししたうえ、ストレートに「うらめしや」と結んでいるのだ。

その「須藤」の身元はすぐに割れた。

須藤明代《あきよ》。四十二歳。上田が小遣い稼ぎにやっていた「自分史教室」に通っていた女だ。昨今、自分史を書くのがブームらしい。明代は週一回、上田の自宅を訪ね、文章の書き方の手ほどきを受けていた。独身を貫く上田は自他ともに認める好色漢で、手ほどきは文章ばかりにとどまらなかったようだ。事情を聴くため明代の自宅に急行した捜査員は、その顔を見るなりほくそえんだという。肌のくすんだ、のっぺりとした明代の面相が「山芋」を彷彿とさせたからだ。

今現在、明代は所轄の任意取調室にいる。取調官が殺しの可能性を匂わせたところ、泣きながら無関係を主張しているとの報告が上がってきていた。供述内容はこうだ。確かに一週間前に上田の家に行ったが、ほかの生徒二人と一緒だったし、その後は上田と会っていない。言われる通り体の関係はあったが、それなら佐々木さんだって——。

その女の素性も高嶋のもとに届いていた。

佐々木奈美《なみ》。四十三歳。自分史教室の生徒であり、死体の第一発見者でもある。今日が教室の日だった。いつもより少し早く午前十時に上田の家の呼び鈴を鳴らしたが応答がない。玄関の鍵が掛かっていなかったので家に上がり、書庫にいるのではと地下に下りて死体と出くわしたとのことだ。書庫の鉄扉は半開きの状態だったと証言している。上田との体の関係は否定したというが、応答がないのに勝手に家に上がり込んで上田を探し回るあたり、非常に疑わしいと報告メモにある。

「調査官がみえました」

運転手の声に、高嶋は報告メモから顔を上げた。五メートルほど前方、検視官専用車から倉石が降り立ったところだった。

頬の削《そ》げた顔。他を圧する鋭い眼光。やくざっぽい足の運び――。

高嶋も車を降りた。倉石が、するかしないかの黙礼を投げてきた。

「ご苦労」

素っ気なく言って、高嶋は倉石と歩調を合わせた。血流が速まる思いだ。この男は警察官というより、むしろ犯罪者の臭いを漂わせている。

余人を以て代えがたし。三代前の刑事部長がそう評したことから、『終身検視官』なる異名が倉石に与えられた。L医大法医学教室の西田教授が倉石に惚れ込み、検視職から異動させないよう裏で手を回していることも知っている。だが――。

それほどの検視官なのか。

疑念はずっと以前から抱いていた。報告書を見る限り、過去七年半、倉石の検視にミスはない。だが、高嶋だって検視官時代は「ミスター・パーフェクト」と呼ばれたのだ。自慢にもならない。当然のことなのだ。俳人は一句一句を辞世の句のつもりで詠むという。検視も同じだ。現場によって出来不出来があってはならない。ミスなどもってのほかだ。殺しを自殺と見誤れば一つの凶悪犯罪を永久に眠らせ、その逆は百人からの捜査員に長期間の徒労を強いる。要するに、検視という職務は今日も明日も明後日も、すべての現場において完璧な作業を行うことが当たり前のこととして要求されるのだ。

――こいつが特別なわけじゃない。

上田宅の玄関。高嶋は倉石の横顔を盗み見ながら靴にビニールカバーをつけた。

L県警の内規は一人の人間が同じポストに五年以上留まることを禁じている。これ以上、倉石に対する特別扱いを続ければ、組織の統率だって危うくなる。現に若い連中の一部は「倉石学校」「校長」などと呼んで倉石を祭り上げていると聞く。何かと目を掛けていた、あの一ノ瀬までもが倉石にかぶれていたのは驚きだった。警察庁出向。一も二もなく誰もが飛びつくプラチナチケットを前にして、家族と相談する時間が欲しいとのたまった。倉石に対する気兼ね。いや、易々《やすやす》と上に尻尾を振ることを恥じる反骨のポーズを覗かせたということだ。倉石の下に置いて二年半。長過ぎた。もっと早くに動かすべきだったのだ。

いずれにしても、倉石を「腫《は》れ物」として放置しておく限り、不穏分子の増殖は抑止できない。倉石の排除は急務に思える。組織にとっても、数年後に刑事部長の椅子に座る高嶋自身にとっても、だ。

臨場の順序があべこべになった、このチャンスを逃す手はない。今日こそ倉石の技量を見極める。他に幾らでも代わりのきく「普通の検視官」であることをこの目で確かめ、上に倉石の配転を進言する――。

前を行く倉石の背を凝視しながら地下書庫への階段を下っていく。

——テスト開始だ。

半分は捜査指揮官から離れた頭で、高嶋は密かに宣言した。

4

倉石は仕事を急がなかった。階段を下りきると、書庫には入らず、ドアのわきの鉢植えに目を落とした。

「ああ、それはドアを開けたままにしておく時、ストッパー代わりに使ってたようです」

説明したのは所轄の安川刑事だ。嬉々としている。倉石を「校長」と呼ぶシンパの一人だ。

「死体発見時はどこにあった？」

「書庫の中にありました。第一発見者の女が以前にプレゼントしたものらしいですよ」

「うるせえ。聞かれたことだけ答えろ」

倉石は膝立ちになった。鉢植えといっても、細い棒のような茎が一本伸びているだけで花はない。葉も下のほうに数枚ついているだけだ。倉石はその狭卵形の葉をジッと見ている。

高嶋は階段の途中で足を止め、その光景を見下ろしていた。

まずはセオリー通りに動いている。安川の口を封じたのは予断を排するためだ。現場に入らず、鉢植えに目を止めたのも頷ける。植物は死体ほどに物を言う。検視作業にあたっては決しておろそかにできない情報源だ。

「ジギタリスだな」

「さすが校長」

安川が安っぽく持ち上げた。

高嶋は腕組みをした。そう、ジギタリスだ。夏に紫色の花を咲かせる多年草。主に観賞用として栽培されているが、乾燥させた葉の粉末は心疾患の治療に用いられる。心拍動を強める効果があるのだ。報告によれば、死んだ上田は不整脈を伴う鬱血性心不全を患っていた。腹上死を恐れてのことだろう、「須藤の山芋」こと須藤明代は、上田の行為の大半は性具を使ったものだったと供述している。

ジギタリス。面白い素材だが今回の事件解明には役立たない。高嶋はそう見切っていた。

倉石はドアに目を移していた。鍵穴から書庫の内部を覗き見るような仕種。

「ドアノブの指紋は？」

「死んだ上田のと第一発見者の女のが出てます」

「内側のノブは？」

「一つもありませんでした」

「カケラもか？」

「ええ。おそらく犯人が拭き取ったんでしょう」

それには答えず、倉石はバッグから温度計を取り出して書庫に足を踏み入れた。高嶋は残りの階段を下り、倉石の背後についた。肩越しに倉石の視線を追う。

まずは死体を見た。いや、床全体を見渡している。しゃがんだ。床の埃が気になるらしい。立ち上がり、天井を仰いだ。裸電球が一つ。スイッチを探す。それが右手の壁にあることを確認した。もう一度、天井を見た。電球に目を凝らしているふうだ。手にしていた温度計に目をやった。室温は五度。

倉石は死体を避けるようにして書庫の奥へ足を進めた。突き当たりの壁際の床にダンベルが転がっている。振り向き、死体の傍らに転がっているダンベルと見比べた。高嶋もさっきそうした。二つのダンベルは一対《つい》をなす。「凶器」は外部から持ち込まれたのではなく、この書庫で調達されたということだ。

「椅子を持ってこい」

倉石が命じた。

書庫の中には椅子がない。安川が階上から丸椅子を探してきた。倉石は椅子を踏み台にして間近に電球を見た。綺麗だな……。そんな独り言を口にした。

高嶋は首を傾げた。電球を調べることにどれほどの意味があるのか。単なるパフォーマンスかもしれない。高嶋の手前、「特別な検視官」を装っている——。

椅子から下りると、倉石は左右の壁に設《しつら》えられた書棚を調べ始めた。バッグからルーペを取り出し、丹念に見ている。「血のアシ」、つまりは飛沫血痕の状況を確認しているのだろう。高嶋の見たところではほとんどなかった。不思議はない。死体頭部の外傷そのものの出血が微量だったからだ。倉石は床にもルーペをあてた。血痕、いや、埃の状況を観察しているようにも見える。

おもむろに立ち上がった倉石は、体の向きを変えて死体を見下ろした。しばらく全体を観察してから、再び片膝立ちの姿勢をとった。ダンベル、ハンカチ、三色ボールペンの順で見ていく。動きが止まった。例の「短詩」に気づいたのだ。

時来たり須藤の山芋うらめしや

倉石は眉を寄せて見ていた。しばらくそうしていた。やがて懐から手帳を取り出し、文面をメモした。傍らの安川が興味津々の顔で聞く。

「やはり、ダイイングメッセージってやつでしょうか」

「三十五年サツ官をやってるがな、死体がそんな洒落《しゃれ》たシロモノを残したことはねえ」

高嶋は内心頷いた。こっちは三十七年だ。かつてそんなものにはお目に掛かったことがない。

いよいよ倉石は「本丸」の攻略に取り掛かった。上田昌嗣は、前のめりにうずくまるような恰好で死んでいる。

――お手並み拝見だ。

倉石はバッグを開き、ペンライト、ピンセット、開口器といった検視道具を取り出した。まずは眼球にペンライトの光を当て、角膜の濁り具合を見た。

階段に足音がした。所轄の刑事が下りてきて、高嶋に捜査状況のメモを差し出した。倉石に気を残しつつ、高嶋は素早くメモに目を通した。

上田を巡る三角関係の状況を記したものだった。上田と、第一発見者である佐々木奈美の親密な関係は三年に及んでいた。須藤明代と上田が関係を持ったのは半年前からだと記されている。やはり奈美と上田はデキていた。しかし、それは最初から予想されたことで高嶋の関心を引かなかった。

視線を倉石に戻す。丁度、頭の傷を調べ始めたところだ。

倉石はペンライトを口にくわえ、両手で死体の頭髪を掻き分けた。頭頂部寄りの右側頭部。長さ約三センチの皮膚裂創――。

傷を凝視していた倉石の目が微かに左右に移動した。

――見つけたな……。

三カ所の擦過傷。それこそが、高嶋が殺しを否定した最大の根拠だった。倉石は見破ったか。いや、これを見逃すようなら即座に更迭を言い渡せる。

逡巡創——三カ所の擦過傷を高嶋はそうみた。いわゆる、「ためらい傷」である。そこから導き出される結論は自殺だ。

上田は己の頭部にダンベルを振り下ろして命を絶った。自殺者には共通して、楽に死にたい、できうる限り肉体的苦痛を避けたいという心理が働く。カミソリで手首を切る者は、これくらい切れば死ねるだろうかと、おっかなびっくり幾筋もの逡巡創を残す。ましてや今回は鉄の塊を自分の頭に叩きつけるという行為だ。恐怖感は相当なものだったろう。だから二度三度と失敗した。脳は死ぬ気でいても、手が命令に背いてダンベルは頭皮を掠るにとどまった。ついには目的を遂げたが、それは壮絶な一瞬だったに違いない。死体の恰好から推察すると、上田は床に両膝立ちになり、背中を丸め、頭を下げ気味にして決行したと考えられる。

「短詩」も自殺説を補強する。

何者かに致命傷となる殴打を食らった後に文字など書けまい。万一書けたとしても、川柳まがいの一文をひねる思考力など残されているはずがない。つまりは、殴られる前、否、自殺を図る前に上田が床に書きつけておいたとみるべきなのだ。

殺しに見せかけた偽装自殺。そう断じていいだろう。落ちていたハンカチもそのために使われた。ダンベルに上田の指紋だけが残されていたのでは自殺と見抜かれる。だから、あらかじめ指紋を拭き取ったダンベルをハンカチ越しに握って頭に振り下ろした。

なぜ上田はそんな死に方をしたのか。

「短詩」の内容から察するに、須藤明代を陥れようとしたことは明白だ。相当な恨みがなければできることではない。三角関係のもつれが絡んでいるか。だがそうだとするなら、罠を仕掛ける動機を持つのは上田ではなく、むしろ明代のほうではなかろうか。二人の女を手玉にとっていた好色な上田が、自分の命と引き換えに明代を殺人犯に仕立てようとした理由が浮かばない。上田は心臓に持病があった。ひょっとしてその辺りが事件解明の鍵か。捨てても惜しくない短い命。上田がそう考えていたのだとすれば、残りの命を罠として使った点については納得がいく。明代からじっくりと話を聞くことだ。隠された二人の事情。そんなものが炙りだされてくればおのずと霧は晴れるに違いない。

いずれにしても、本件が上田の企てた偽装自殺であることは動かない。「山芋」が罪に問われることはないということだ。

高嶋は倉石を見た。

死体のセーターの背中をルーペで観察している。埃の付着状況を調べているようだ。セーターを捲り、下のシャツにもルーペをあてた。高嶋もさっき同じことをした。服に埃が付いた理由は不明だが、それもまた殺しを否定する材料とみた。いきなりダンベルで殴りつけられ、前のめりに倒れて死んだのだとすれば、セーターの背中や、その下のシャツに埃が付着していはずがなかった。

倉石は安川に手伝わせて死体の服を脱がせた。全身を調べている。入念だ。舐めるように観察している。だが——。

特別なことをしているわけではない。基本に忠実に一つ一つの作業をこなしているに過ぎない。高嶋や歴代の検視官の誰もがそうしてきたように。

倉石が検視を終えた。待ってましたとばかり安川が事件の状況を話し始めた。それに生返事で答えている。バッグに検視道具を詰めた。こちらに顔を向けた。

「どうだ？」

高嶋が聞くと、倉石はつまらなそうに返した。

「自殺だ」

高嶋は頷いた。そして微かに笑った。

上司に対等の口をきく。いつもなら腸《はらわた》が煮えくり返るところだが、胸に沸き立つ喜びと安堵の感情が大きく勝っていた。

検視の一部始終をつぶさに見た。倉石が優秀な検視官であることは疑いがない。職務に対しては真摯《しんし》。それも十分わかった。しかし、だからといって倉石の検視に、才気というか、他の人間と異なる特殊な能力が発揮されているとは到底思えなかった。『終身検視官』。ただの幻想だ。これで上に進言できる。倉石の代わりは幾らでも育てられる。後任に一ノ瀬を据えてもいい。今度、ほんの少しでも倉石かぶれの素振りを見せたら東京行きはなしだ。昇任もさせない。警部のまま倉石の後釜に——。

「だがよ、第一発見者の女にはワッパを掛けたほうがいいぜ」

高嶋はハッとして声に顔を向けた。倉石の冷めた目がこちらに向いていた。

第一発見者に手錠……？

「な、なぜだ？」

倉石は答えず、安川に声を掛けた。

「おい、第一発見者の女はなんていった？」

「佐々木奈美です」

「そいつだ。上田はその奈美って女に監禁された。ホトケは死後六日ってところだから、おそらくは先週の自分史教室の日ってことだろう」

「本当ですか校長！」

「教室が終わったあと上田を地下書庫に誘い込み、中に閉じ込めて外から鍵を掛けた。ジギタリスの鉢植えを贈るぐらいだ、佐々木奈美は上田の心臓の持病を知っていた。室温五度の狭い書庫に閉じ込めればやがて発作を起こしてくたばる。そういう読みだ」

「そうか！　復讐ですね。上田が奈美から須藤明代に乗り換えたから——」

「何を根拠に言っている！」

高嶋は声を荒らげた。

監禁？　発作？　復讐？　いったいこの男は――。

「ちゃんと説明しろ。なぜ佐々木奈美が上田を監禁したと言えるんだ」

倉石は現場を振り向いた。

「ブツがそう言ってるだろう。偽装自殺にダンベルを使う馬鹿がいるか？　この書庫には凶器になるものがそれしかなかった。だから仕方なく使ったってことだ。ハンカチはポケットにあった。三色ボールペンは胸ポケットだ。監禁されたのが教室の日で生徒の原稿に赤字を入れるのに使ったからだ。上田が偽装自殺に使った三つのブツは、外に出られない状況の中で手にできたありあわせのものばっかりなんだよ」

「証明にならん。たまたまそうだったということもあるだろう」

「花瓶、ガラス灰皿、包丁だっていい。外に出られりゃブツは選り取り見取りだ。ハンカチも女物にして、床に書きやすいマジックを用意する。それで初めて偽装って言えるんだ」

「確かにそうだが……しかし……」

「上田は殺しに見せかけるためにドアノブの指紋を拭き取った。だが内側のノブだけだ。なぜか？　簡単だ。外側のは拭けなかったからだ」

高嶋は息を呑んだ。自信の軸がぐらりと揺れた。

一拍置いて倉石は続けた。

「あとは埃だ。上田のセーターの背中やシャツにたっぷり付いてたろう」

「それがどうした……？」

　埃は謎だった。倉石は解いたというのか。

「書庫の室温は五度。上田は凍えた。だから本を床に敷いて寝た。それでも寒くて眠れず、埃だらけの資料をセーターとシャツの間に突っ込んで体温を保とうとした」

「推測にすぎん」

「電球もそうだ。部屋がこんなに埃っぽいのに電球のタマはツルツルしてやがった。上田が懐に抱えこんでいたからだ」

「なに……？」

「上田は床に本を積み上げた。それを踏み台にして電球を外し、ささやかな暖をとった。電球が冷えるとまた天井に戻し、スイッチを入れて暖めた。何度も何度も繰り返した。それほどまでに凍えていたってことだ」

　高嶋は震えを感じた。上田の行動がまざまざと目に浮かんだのだ。

「だが、堪えられたのは一晩だった。寒さは心臓にくる。徴候があったかもしれん。心臓発作でくたばれば病死として処理されちまう。目の前には自分を閉じ込めた女が寄越したジギタリスがある。乾燥させた葉の粉末は心臓病の治療薬だが、生の葉は猛毒だ。結構なジレンマだったろうよ。ついには決意した。殺しに見せかけた偽装自殺だ。佐々木奈美に罪を着せる言葉を書き残して――」

「待て！」

高嶋は我に返った気がした。

「上田が名指ししたのは須藤明代だ。佐々木奈美じゃない」

倉石は舌打ちした。

「わからねえのか。上田は自分の死体の第一発見者が奈美になるのを恐れてたんだよ。ズバリ名指しすりゃあ消されちまう。だから知恵を絞ったんだ」

「ふざけたことを言うな」

高嶋は慌てて手帳を開いた。

時来たり須藤の山芋うらめしや

「言ってみろ。この出来損ないの短詩をほかにどう読めっていうんだ」

「辞世の句――検視もそうだと言ったのはアンタじゃなかったか」

「そうだ。それがどうした？」

「だったらわかるだろう。こういうのを本当の辞世の句って言うんだ」

倉石はペンを取り出し、高嶋の手帳の短詩に横線を一本引いた。

短詩が上下二つに分断された。『時来たり須』。そして、『藤の山芋うらめしや』

高嶋は魔法に掛かったように口の中で何度も読み返し、しばらくして、あっ、と声を上げた。

「時来たり須」――ジ・キ・タ・リ・ス――ジギタリスと読めたのだ。

しかし、では下の句は……？

倉石は「藤の山芋」のわきに別の言葉を書き込んだ。「不治の病も」――。

　　ジギタリス不治の病もうらめしや

高嶋は言葉を失った。

佐々木奈美をジギタリスと置き換え、さらには、犯行に利用された自らの持病に対する恨みまでもを詠み込んだ、それはまさしく「辞世の句」だった。

倉石が階段を上がっていく。

高嶋は無言で部下の背中を見送った。

過去に検視した様々な死体が頭の中を駆け巡っていた。「ミスター・パーフェクト」。自分に与えられたその称号は果たして正しかったか。

5

夕闇が迫っていた。

薄暗いアパートの一室。その中央で一ノ瀬はどっかりと胡座《あぐら》をかいていた。全身に疲労感があるが、脳は活発に動いている。

一つの結論を手に入れた。これで「再試験」に臨む。

二つの死体は既に所轄の安置所に移されていた。サルビアの鉢植えが、その代わりのように一ノ瀬の眼前にあった。

突如、部屋に灯がついた。振り向くと、倉石の鋭角な顔が壁際にあった。

「よう、わかったか、イチ」

「はい」

一ノ瀬は立ち上がった。倉石の目を真っ直ぐ見つめる。

「サルビアの花が落ちていたことにもう一度着目しました。市場で聞いたところ、サルビアは空気の乾燥に非常に弱いそうです。ここ数日、めっきり寒くなり、北風が強まって空気が乾燥していました。加えて、エアコンの掛けっぱなしが拍車を掛け、サルビアの花を落としたと結論づけました」

「続けろ」

一ノ瀬は現場遺留品を入れる小さなビニール袋を取り出した。中に煙草の吸殻が一つ。吸い口の一部が焦げ茶色に変色している。

「青酸で爛れていたのでわかりませんでしたが、筒井道也の唇も乾燥して荒れていたのだと思います。寝煙草をした時、唇の表皮が剝脱し、吸い口に血痕が付着した。それから間もなく小寺裕子が部屋を訪れた。彼女は真っ赤な吸い口を見て、筒井に新しい女ができたと思い込み、絶望し、そして犯行に及んだ——私はそう思います」

小さな間があった。

倉石は一ノ瀬の手に視線をやった。左手の小指の先端をバンソウコウが一周している。

「試してみたのか」

「あっ、はい……。ほぼ三時間で焦げ茶色に変色しました」

「三時間か。だったら女は部屋にいた間に血痕だと気づく可能性もあったってことだな。気づいてりゃあ、ゆうべの無理心中はなかったってことか」

「おそらく……小寺裕子はそれでも心中を望んだと思います」

脳裏に小寺裕子の死顔があった。微笑みを湛えた穏やかな顔——。

「上出来だ」

それだけ言って倉石は玄関に足を向けた。靴のビニールカバーを外し、ややあって振り向いた。

「銀座で飲むときは電話をよこせ。毎晩ド田舎のバーじゃ内臓が腐っちまうからな」

唇の端がうっすら笑っているように見えた。

「調査官……」

喜び。寂しさ。決意……。湧き上がる幾つもの感情を胸に、一ノ瀬は夕闇に溶けてゆく上司の背中を見送った。

餞《はなむけ》

1

夕方になって近づいた春雷は、春雨ではなく、横殴りの激しい雨を連れてきた。

小松崎周一は老眼鏡を額にずらし、霞んだ目に目薬を落とすと座椅子の背もたれにゆっくり身体を預けた。気を乱されるほどの雨音は届いてこない。この刑事部長官舎は古いが頑丈な造りだ。庭に面した廊下に積み上げられた夥しい数の段ボール箱も雨音を遮るのに一役買っていた。週明けには引っ越しだ。奉職して四十二年。L県警を去る日が駆け足で迫ってきている。

だが、小松崎は別のことを考えていた。

——死んだのだ、おそらく……。

座卓の上や周囲の畳には、年度ごとに仕分けされた年賀状と暑中見舞いの葉書が山をなしている。引っ越し準備のために五日間の年次休暇を取ったが、休みの最終日となる今日は郵便物の整理に充てようと決めていた。辞めたらすぐ各方面に退任の挨拶状を送付せねばならない。この際、きちんとした名簿を作っておこうと思い立ったわけだが、それにはもう一つ別の目的もあった。

毎年届く、「霧山郡」とだけ記された年賀状と暑中見舞いの葉書――。

以前からずっと気にはなっていた。遡って調べてみると、その差出人不明の年賀状と暑中見舞いは十三年前から欠かさず届いていたことがわかった。去年それが途絶えた。年賀状までは来ていたが、暑中見舞いの葉書は届いていなかった。今年の年賀状も来ていない。賀状の束を二度見返してみたが、唯一、それが同一人物の手によるものであることを知らせる「霧山郡」の三文字を見つけだすことはできなかった。

やはり死んだのだ。去年の夏を待たずに……。

差出人が葉書を出すのをやめたとも考えられるのだが、小松崎の思考はその可能性を最初から締め出しているようなところがあった。職業的なカン。あるいは六十に達した年齢が、途絶えた音信イコール死であると勝手に解釈してしまう。

――しかし、いったい誰だ……？

長いこと刑事をやっていれば、更生を果たした犯罪者やその身内から送られてくる礼状で引き出しの一つや二つは一杯になるものだ。当然、その逆もある。向こう傷の数ぐらいは、匿名の闇の中から送りつけられてくる悪意の郵便物の開封を覚悟せねばならない。呪詛。脅迫。恨みつらみ。御礼参りの予告……。「明けまして御愁傷様です」と書き付けられた年賀状が、元日の団欒を凍りつかせたことも過去にあった。

詰まるところ、それが知りたい。十三年間に及んだこの一連の葉書は謝意なのか。それとも悪意なのか。はたまた別の意図をもって投函されたものなのか。

小松崎は抜き出した二十五枚の葉書を改めて捲り始めた。

年賀状も暑中見舞いもすべて官製葉書だ。表には、コンビニ辺りで請け負いそうな決まりきった印刷の年初挨拶。自筆の書き込みは何もない。ただし宛て名はどれも手書きだ。そして差出人の住所と名を書くべき余白に「霧山郡」とだけ記してある。妙に角張った、年齢不詳の下手くそな字だ。男か女かの判別も難しい。見様によっては作為を感じ取れる。例えば、わざと利き手の逆の手で書いたような……。

小松崎は腕組みをして目を閉じた。

女――。小松崎の思考は常にそこからスタートする。『女殺しの小松崎』。女が企む事件に滅法強いことからついた異名である。

この葉書はどうか。

女だ。そんな気がする。

十三年の長期にわたって欠かさず葉書を送りつけてきた。執着心。粘着質。生真面目。それらはむしろ男の特性と言っていい。だが、女だ。過去に扱ったあまたの事件で、女が犯人だと睨んだ時の、体中の細胞が騒ぎだすようなあの感覚がある。

　小松崎は目を開いた。

　男女の別はともかく、差出人を特定する手掛かりは「霧山郡」以外にない。まったくの匿名ではなく、わざと郡名を記しているのだから、謝意にせよ、悪意にせよ、その手掛かりだけは小松崎に知らせたいということだろう。「霧山郡」という郡名は実際に存在する。三つの町村からなる県北の農村地帯だ。深読みすればきりがないが、差出人は郡内在住の人間とみていい。いや、もっと絞れる。暑中見舞いの葉書の消印はどれも「霧山南」だ。つまりは霧山郡霧山村の、しかも南部地域に住んでいる人間だということだ。思考を巡らす。過去の記憶を呼び覚ます。

　網膜にとどまる顔はない。

　そもそも霧山村に関係する人間に手錠を掛けた記憶がなかった。霧山署に勤務した経験もないのだ。若い時分、事件捜査の応援で何度か村内に足を踏み入れたことはあったが、通り一遍のローラー捜査に加わっただけで、村人に名刺を差し出すような突っ込んだ仕事はしなかった。感謝される覚えも恨まれる覚えも一切ないと言い切れる。ならば差出人と小松崎は別の土地で接点を持ち、そして差出人がたまたま今、霧山村に住んでいるということか。そうだとするなら雲を摑むような話だ。四十二年間の刑事人生。探さねばならない記憶の部屋はあまりに広い。

いや……。

小松崎は宙を見つめた目に瞬きを重ねた。

刑事部長の職権をもってすれば差出人を突き止めることなど造作ない。霧山村は人口四千人足らずのちっぽけな村だ。年間の死者の数も高が知れている。去年の一月以降七月までに死んだ村民を軒並み部下に当たらせればいい。「霧山郡」の筆跡が合えばそれで決まりだ。やる気になれば指紋照合だって――。

ふっと自嘲の笑いが漏れた。

――馬鹿を言え。そんなことに部下を使えるか。

即座に却下したものの、小松崎の頭には頰肉の削げたやくざ顔が浮かんでいた。『終身検視官』の名をほしいままにしている捜査一課調査官の倉石である。

倉石の顔が浮かんだということは変死の可能性を考えたということだ。差出人は自然死でなく変死した。可能性としてはありえる。もしそうなら、倉石は去年、差出人と「対面」していることになる。

玄関チャイムが膨れかけた想像を掻き消した。小松崎は壁の時計に目をやった。午後八時。立ち上がって着物の帯を直した。長年の習慣で、廊下を歩く短い時間、脳が情報の仕分けを行っていく。喋っても差し支えないこと。隠さねばならないこと――。

が、玄関の前に立っていた背広は新聞記者ではなかった。

「夜分大変恐れ入ります。私、昨日お電話差し上げた、菜の花銀行の村田と申します」

退職金を預けて欲しい。半月ほど前から十行以上の訪問を受けている。名の通った都市銀行も日参してくるぞ。去年退官した上司の話は本当だった。

「せっかくですが、もうL銀行に決めましたので」

「ええ。存じ上げております。県庁と県警の方々は皆様そうされます。しかし、ここは一つペイオフのこともお考えになって、資産の分散をご検討されたほうが——」

雨に濡れてでもいたら家に上げざるをえなかったろうが、行員にとっては不運なことに、先ほどまでの土砂降りが嘘のように空には星さえあった。

丁重に断り、小松崎は引き戸を締めた。家に上がりかけた足を止め、その場でしばらく耳を澄ましていたが、行員と入れ代わりで官舎に近づく靴音はなかった。

今日が三月二十七日。サツ廻りの記者連中は「紳士協定期間」に入ったということだろう。各社で申し合わせ、小松崎に対する夜討ち朝駆けを自粛するのだと言っていた。退官まであと四日。間に土日が挟まるから、実際に小松崎が県警本部に顔を出すのは、明日と、週明けの一日を残すのみだ。秒読み段階に入った退官幹部の官舎のドアを叩き、「特ダネを寄越せ」「置き土産をくれ」と迫るのは、さすがに気が引けるということらしい。

ふっと寂しさが胸を過《よぎ》った。

もう新しい歯車が動きだしているのだ。彼らはとっくに頭を切り替え、次期刑事部長に就任が決まった田崎の元へせっせと通っている……。

居間に戻った小松崎は、所狭しと積み上げられた段ボール箱の山に、いまさらながらげんなりした。数年前、退官後の隠居住まいを考え、知り合いの工務店に図面まで引かせたが、一昨年ヨシ江が病で逝き、話は立ち消えになった。この先、旅行添乗員をしている昭彦の頭にUターンの単語が浮かぶことはまずないだろうし、美佳は嫁ぎ先の仙台に定住の構えだ。家など建てても仕方ないと思うに至り、市の郊外に小さな借家を用意した。引っ越しは部下が総出でやってくれるが、新居でこの山のような段ボール箱をすべて紐解き、整理するにはいったいどれほどの時間が掛かるだろう。いや、そう、時間はある。これからは、あり余るほどの時間が。

小松崎は座椅子に腰を降ろし、「霧山郡」の文字に目を落とした。

気は削がれていた。

そもそも、この差出人不明の葉書の主を確かめようと思い立ったのだって、引っ越し準備の名目で私的な時間を与えられたからにほかならない。五日連続の休暇。ヨシ江が生きていたら目を丸くしたに違いない。

胸に熱い塊を抱いて刑事をやってきた。多くの失敗を繰り返し、一方で幾多の幸運に恵まれ、こうして刑事部の最高ポストにまで登り詰めた。L県警で刑事一筋の人間が部長席に座ったのは実に四半世紀ぶりのことだった。長年、公安や管理部門出身のエリートに頭を押さえつけられてきた古株の刑事たちは快哉を叫んだものだ。刑事部長として捜査指揮を執ったこの二年間は総決算の思いで心血を注いだ。殺人。強盗。放火。汚職。事件はあらかた挙げた。未練などない。胸を張って部長室を後にできる。

だが——。

「霧山郡」だ。どうにも気になる。事件という事件をすべてやり尽くした男の、それが現役最後の事件だとでも言うのだろうか。

胸に滲《し》み入りかけた静寂を警電のベルが蹴破った。

小松崎は腰を上げて電話に向かった。事件を確信したわけではなかったが、手は既に着物の帯を外しに掛かっていた。

本部捜査一課長の高嶋からだった。

《部長——堀井町で殺しです》

2

ヘッドライトが闇を切り裂く。部長専用車は、かなりのスピードでL県警本部ビルに向かっていた。

市内堀井町のアパートで二十歳の女子大生が扼殺された。犯人不明——。

現金なものだ。葉書の件もしんみりとした思いもすっかりどこかへ飛んでいた。

勝手なものだ。一抹の不安が胸にある。退官まであと四日。それまでに犯人が挙がらなければ、『女殺しの小松崎』と謳われながら、最後の最後で手痛い未決を背負った不運な部長として刑事連中の語り草になる。

本部に到着した小松崎は地下駐車場からエレベーターで五階の捜査一課に上がった。捜査員を鼓舞するかのように課のすべての電灯がこうこうと光を放っているが、強行犯捜査係の面々はもちろん、課長の高嶋も既に現場に飛び、広々としたフロアには一課次席の津田と数人の庶務係員がいるだけだった。

「ご苦労さまです！」

腰を上げた津田を手で制し、小松崎はデスクの上のメモを覗き込んだ。

マル害——山藤祥子《やまふじしょうこ》。二十歳。県立女子大英文科二年。ハイツなかむら102号室。

「どんな按配だ？」

「まだ一報のままです。まもなく課長から詳細の連絡が——」

津田が言いかけた時、デスクの電話が鳴った。隣の席の椅子を引き寄せながら小松崎が受話器をすくう。

《これまでの判明事項は次の通りです》

高嶋はいつもの冷静な口調で伝えてきた。

《マル害山藤祥子はベッドの上で仰向けの状態で扼殺されていました。暴行の形跡はありませんが着衣はひどく乱れ、両腕に多数の擦過傷。顔にも殴打の痕跡があります。ベッドの脇に女性雑誌が落ちていました。犯人は暴行目的で部屋に侵入し、ベッドで雑誌を読んでいたマル害を襲い、騒がれたため殺害に及んだとみられます》

「ん。続けろ」

《現在、指紋をやっていますが、部屋の中はベッドの上以外、争った形跡など変わった様子はありません。犯人のものとおぼしき遺留品も現段階では未発見です。ただ、マル害が着ていたブラウスに若干、埃が付着していました》

埃……?

犯人の衣服に付いていたものが襲った際に落ちたということだろうか。

「どんな埃だ?」

《普通の埃です。タンスの上に溜まるような、茶褐色のサラサラとした粉っぽい埃です》

「鑑定に回せ。それと部屋中の埃の採取も忘れるな」

《わかりました》

鑑識に指示を与えたのだろう、いったん高嶋の声が遠のき、ややあって戻った。

《失礼しました。えー、犯行時間ですが、午後七時から同五十分の間。侵入口は不明――》

「ちょっと待て。随分と犯行時間がはっきりしてるんだな」

《正確に特定できています。雨が降りだしたのが六時半で、その時、アパートから二キロほど離れたところに住んでいる母親がマル害に電話を入れてます。横殴りのひどい雨でしたから、窓をちゃんと締めるように言ったそうです。電話を切ったのは七時のニュースが始まった直後でした》

それまでは生きていたということだ。

《その後、母親は七時五十分にもう一度電話を入れています。ちょうど雨があがった頃です。しかし応答がなく、五分おきに三度掛け直しましたが、それでもマル害が電話に出ないため、心配になって車でアパートまで行き死体を発見——そういう経緯です》

七時五十分には死んでいた。なるほど犯行時間は午後七時から五十分までの間と確定できる。ただし母親が嘘を言っていないという前提での話だ。往々にしてこの辺りが、解決と未解決の岐路になる。

女——。まずはそこから入る。

「母親が七時五十分に電話をしたのはなぜだ?」

《窓から雨が降り込まなかったかどうかを聞くつもりだったと言ってます》

「アパートは古いのか」

《築二年です》

「アパートと実家の距離は二キロだと言ったな」

《そうです》

「なぜ同居してないんだ？」
《母親が去年再婚して、それを機にマル害はアパート暮らしを始めたそうです》
「うまくいってなかった、ってことか」
《わかりません。今、二組出して実家の周辺をやらせてます》
「あと二組出せ。慎重にやれよ。今のところは娘を亡くした両親だからな」
《承知しています》
「で？　新しい父親は何モンだ？」
《風俗エステの店長です。歳は三十一。母親より十一も下です》
すかさず頭の中に「絵」を描く。
母親は若い義父に拘泥している。義父は娘に関心を抱いた。凌辱。娘は家出同然に別居。
再度関係を迫ろうと義父がアパートへ。拒絶。殺害。夫婦謀議によるアリバイ工作――。
小松崎は数瞬待った。
細胞は騒ぎださない。微塵も。「絵」が下手くそだということか。
「マル害に保険金は？」
《これから当たらせます》
「よし。あとは何かあるか」
《侵入口がいまだ不明です。入口ドアも窓もすべて施錠されていました》

「合鍵が使われた可能性があるってことだな?」

《そう思われます》

ならば、恋人。管理人。母親と義父——。

《いまのところ、沓脱ぎには駆けつけた母親の靴跡しか見つかっていませんが、鑑識にもう一度やらせます。窓の施錠は完璧でしたから、やはり合鍵使用が濃厚かと》

《そうじゃねえ》

高嶋の声に別の声が被った。横から誰かが送話を邪魔したのだ。

考えるまでもなかった。現場の最高指揮官である捜査一課長の意見を否定する人間など、検視官の倉石をおいてほかにいない。

刹那、小松崎の脳裏に「霧山郡」の文字が駆け抜け、体中の細胞が軋むように騒ぎだした。

女——。変死——。

小松崎はたじろいだ。

「何をやってる!」

妄想を振り払う思いで電話に声を張り上げた。

応答がない。高嶋は倉石と言い争いをしているようだ。怒声の応酬。ぶつ切れの単語が微かに耳に届いてくる。

口を出すな——よく見てみろ——湿りけ——足跡——雨——埃——天井——。

すみません、掛け直します。高嶋が早口で言って電話が切れた。
小松崎は苛立った。
天井……？　どういうことだ？
再びデスクの電話が鳴ったのは三十分近くも経ってからだった。
《先ほどは失礼致しました》
高嶋の声は異様に感じるほど低かった。
《ホシの身柄を確保しました。緊逮の令状請求の許可を願います》
小松崎は驚愕した。
「誰をパクった？」
《マル害の隣室、101号室の佐竹というフリーターです》
「根拠は？」
《二つの部屋を仕切る天井裏の板が破られていました》
「何だとう？」
《急ぎ佐竹の部屋に踏み込んだところ、本人はトイレの中でガタガタ震えていて、侵入も殺害もあっさり認めました》
高嶋は抑揚のない声で続けた。
犯行の目的は暴行。佐竹は以前から隣室の山藤祥子に目をつけていた。天井裏を伝って祥子の部屋に侵入する手口を思いつき、今日実行に移した。自室の押し入れから天井裏に上がり、豪雨の音に紛れて仕切り板の釘をバールで引き抜いて板を外し、祥子の部屋の押し入れの天板をずらして中に下りた。ベッドで雑誌を読んでいた祥子に襲いかかり、服を脱がそうとしたが、激しく抵抗されたため顔を殴りつけた。それでも叫ぶのをやめないので夢中で首を絞めたという。

《マル害のブラウスの埃は佐竹が天井裏を這った時に服に付着し、襲った際に落下したものと思われます。現在、鑑識に天井裏の埃を採取させています》

小松崎は唸った。

すべては『終身検視官』の読みということか。

が、わからないことが二点あった。

「二人は隣室で顔見知りだったわけだな。ならば佐竹は最初から殺すつもりだったということか？　暴行されたマル害が訴え出れば佐竹は逃れようがないだろうが」

《佐竹はカメラ付き携帯を持って侵入してます。裸の写真を撮って口止めするつもりだったんでしょう。これから吐かせます》

「わかった。倉石をだせ」

もう一つの疑問点は直接聞こうと思った。

高嶋が倉石の名を呼び、受話器が受け渡される気配があった。が、声がしない。

「小松崎だ」

痺れを切らして言うと、耳慣れた嗄《しゃが》れ声が返ってきた。

《ほう、部長、まだいたのか》

「ご挨拶だな。三十一日までは現役だ」

《だったな》

「一日からは言葉遣いに気をつけたほうがいいぞ。田崎はそういうことにひどくうるさい男だ」

《ああ、覚えておく》

「それより聞かせろ。なぜ隣の部屋に目をつけた？」

それが唯一残された疑問点だった。

《部屋の中に雨がなかったんだよ》

「部屋の中に……雨……？」

わからないのか、というように舌打ちの音がした。

《犯行時間帯はずっと横殴りのひでえ雨だったんだ。傘をさしてたって外から入れば服はずぶ濡れだ。だが、ベッドのシーツも女のブラウスも湿っちゃいなかった。沓脱ぎにも母親以外の泥足が見つからねえ。それに加えてサラサラ乾いた埃だ。だとすりゃあ、中から中。そう考えるしかないだろう》

驕るでもない声を聞きながら、小松崎は現役最後の事件の幕が下りたことを悟った。

3

捜査一課フロアの一角にある刑事部長室には、南向きの窓から柔らかい光が差し込んでいた。実質的な執務は今日限りだ。現役最後の日となる週明けの三十一日は、退任セレモニーやらなんやらで慌ただしく過ぎることになる。

小松崎は部屋に倉石を呼び入れていた。

「ゆうべはご苦労だったな」

倉石は興味なさそうに、ああ、とだけ答えた。ソファに寄り掛かり、テーブルの上の朝刊に視線を投げている。『女子大生殺される』『隣室の男をスピード逮捕』――。

「お前には感謝しなくちゃな。未決を背負ったままおさらばしないで済んだ」

実際、小松崎の胸には倉石に対する感謝の思いがあった。幸運だった。そうも思う。異能とも言うべきこの男と同時期に刑事人生を歩んだお蔭で、落としかけた事件をこれまで幾つ拾ったことか。

戦友。小松崎の気持ちはそれに近かった。

しかし倉石の方が小松崎に対してどんな感情を抱いているかということになると、さっぱり見当がつかない。何十年もの間、ともに事件現場を這いずり回ってきたわけだが、思い返せば胸襟を開いて話をした記憶はなかった。

刑事と鑑識。二つの職種の壁がそうさせたことも否めない。「鑑識を呼べ」「鑑識にやらせろ」。刑事が当たり前のように口にする台詞には、どこか下働きとして鑑識を見くだしている刑事の内面が仄《ほの》見える。一方、鑑識は鑑識で、肩で風を切って歩く刑事たちを冷やかに見つめているのだ。カンや度胸でホシを摑めるものか。鑑識ネタを持たせてやらねば刑事など赤子同然——。

「部長」

倉石が醒めた顔で言った。

「俺に用事があったんじゃないのか」

「ん」

小松崎はまだ迷っていた。

「私的なことだが構わんか」

「事件はみんな私的なことだ」

小松崎は腹を括った。少なくとも目の前にいるこの男は敵ではないはずだ。

「実はな……」

葉書の件を話した。「霧山郡」……十三年間……霧山村南部……。

倉石は黙って聞いていた。小松崎が話し終えると腕を組み、しばらく思案してから口を開いた。

「部長は栗木町の出だったな？」

「ああ。釣り宿が幾つかあるだけの、村に毛の生えたようなちっぽけな町だ」

「同じ県北だ。霧山に親戚とかはいないのか」

「いない。同じ県北と言ったって、通じてる道路もないからな。それに俺は小学生の時、こっちに移った。親父とお袋は猫の額の畑仕事に嫌気がさしてたんだろうよ。産婆の看板を出してた祖母が死んですぐ街に出た。でもって屋台のカルメ焼きだ。無理が祟って二人して早くに逝っちまったがな」

「昔話はいい」

倉石は無表情のまま言った。

「それより、十三年前、部長は何をしてた？」

「東部署長だ。前の年からな」

「つまりは前の年の春、新聞に顔と名前が出た、ってことだな」

「そういうことだ」

『新署長紹介』――。署長が交代すると、新しく赴任する署長のプロフィールを地元新聞が記事にする。小松崎も考えていたことだった。差出人はその記事を見て葉書を書こうと思い立ったに違いない。記事が出た翌年に届いた初めての年賀状には、赴任地であった東部署の住所が記されていた。その後、差出人は地元新聞に載る県警幹部の異動名簿を毎年チェックしたと思われる。どこに動いても、年賀状と暑中見舞いはきちんと小松崎の後を追い掛けてきた。

「二人だ」

唐突に倉石が言った。

「二人……？　何がだ？」

「去年の正月から盆明けまでだ。俺が視た霧山村のホトケは女が二人だ」

小松崎は倉石の記憶力に舌を巻いた。畳の上での明らかな病死以外は変死として扱われるわけだから、倉石が一年間に検視する死体の数はゆうに三百体を超える。

が、驚きは瞬時に胸騒ぎに変化した。

二人とも女。倉石はそう言ったのだ。

「教えてくれ」

「一つは三月。十一歳の首吊りだ」

言われてみて記憶が蘇った。いじめによる自殺だった。新聞も大きく記事にした。だが、十一歳の少女は葉書の差出人とは無関係に思える。

「あとの一つは？」

「六月だ。七十六の婆さんの川流れだった」

　小松崎は首を捻った。記憶にない。

「身元は？」

「旦那に先立たれて特養ホームに入ってた婆さんだ。軽い脳溢血を二度やっててな、杖なしでは歩けない状態だった」

　脳溢血……。

　宛て名の手書き文字が目に浮かんだ。角張った、下手くそな、利き手の逆の手で書いたような――。

「いつからホームに入ってたんだ？」

「十五年前からだ」

　思わず身を乗り出していた。

「詳しく話してくれ」

「死因は溺死。霧無川で揚がった。ホームから二キロ下流の地点だ」

「老人ホームの近くから流れて来たってことか」

「いや、揚がった場所から三キロ上流に杖が落ちていた。川向こうにいいブナ林があるところだ。ツツドリやカッコウ、ジュウイチなんかの天国だ」

　小松崎はその蛇足に引っ掛かった。

　倉石は「生き物」の生態に滅法強い。動物、植物、魚、鳥、昆虫……。その知識のすべてを検視に生かす。鉢植えの花や籠の中の鳥の囀《さえず》りから死体に纏《まつ》わる情報を読むのだ。

「鳥が何か関係あるのか」

「受け売りだ。現場に同行したホームの所長が野鳥の会のメンバーでな。着任早々婆さんに死なれて泡食ってたが、鳥の話になったらよく囀りやがった」

小松崎は小さく息を吐いた。

「続けてくれ」

「死体の損傷は激しかった。前額に皮下出血。左上腕と両下肢に線状の擦過傷が多数——」

「線状？」

「あの川は流れが急だ。川底で揉まれながら転がったんだろう」

「事故……それとも自殺か」

発生当時、小松崎が報告を受けていないのだから殺しであるはずはない。

「七三で自殺だ」

「ナナサン……？」

小松崎は耳を疑った。倉石とも思えぬ曖昧な判定だ。

「事故の可能性もあるってことか」

「杖が落ちていたのは道路から川に向かって下る獣道だった。スキーのジャンプ台を連想させるほど傾斜がきつい場所だ。その獣道に三歩踏み込んだ形跡があった」

「三歩……」

「そうだ。四歩目はなかった。自分の意思で川に飛び下りたか。あるいは足を滑らせて落ちたか」

「足跡《ゲソ》の深さや形でわかるはずだろう。踏み切ったとか、滑ったとか――」

「教科書通りにはいかねえ。婆さんの体重は二十八キロだったんだ」

倉石の両眼に鈍い光があった。

小松崎は一瞬思考を失い、だが、すぐに顔を上げて言った。

「だったら五分五分ってことだろう？」

「何がだ？」

「なぜ自殺が七で、事故が三なんだ？」

「引き算をしてみろ」

「引き算……？」

「死体はホームから二キロ下流で揚がった。そこから三キロ上流に杖とゲソがあった。婆さんはホームから上流に向かって一キロ、上り坂の道路を歩いたってことだ」

小松崎はハッとした。

七十六歳……二度の脳溢血……右半身に後遺症……杖なしでは歩けない体……。

たった一キロ。だが、その老婆にとっては途方もない距離だったに違いない。

倉石は不興顔で続けた。

「婆さんが死に物狂いで一キロ歩いた理由がわからねえんだ。頭ははっきりしてたらしい。あの日までホームの外を徘徊したことは一度もない。その婆さんが上流に向かって歩いた。だとすりゃあ、死に場所を探しに出掛けたと考えるしかないだろう」

小松崎は倉石の目を見つめた。

「十のうちの三つを事故死に残しているのはなぜだ？」

「先々、婆さんが歩いた別の理由が見つかるかもしれないからな」

倉石は席を立った。ゆっくりとドアまで歩き、振り向いた。

「部長——ひょっとしてあんた、知ってるんじゃないのか？　婆さんが歩いた理由も、葉書の差出人が誰なのかも」

4

体中の細胞が騒ぐ感覚はずっと続いていた。土曜日。小松崎は官舎から一歩も出ずに鳥類図鑑と首っ引きで過ごした。動いたのは日曜の午後だった。ようやく決心が固まった。そして覚悟も。

車を運転するのは久しぶりだった。北へ向かう県道はすいていて一時間ほどで霧山村に入った。幾らか迷ったが、ほどなく霧無川沿いの道にぶつかり、その道に入るとすぐ老人ホームの建物が見えた。

死んだ老婆が葉書の差出人であることは、もはや確信にまで高まっていた。それだけではない。それだけではなく……。

小松崎はホーム一階の事務所を訪ねた。身分は伏せ、所長に野鳥の話を聞きたいのだと事務員に告げると、すぐに隣の所長室に通された。

「やあやあ、いらっしゃい」

暇を持て余していたのだろう、木村と名乗った五十年配の所長は嬉しくてたまらないといったふうだった。

「いや、実は昨日も鳥の話を聞きにきた人がいましてね。県警の結構偉い人で、以前、ちょっと事故があった時に知り合ったんです」

きっと倉石もここに来る。頭のどこかでそう思っていたから、さしたる驚きはなかった。だが、赤の他人である倉石に、小松崎の人生のいったい何がわかるだろう。

「さあ、まずはこれを見てくださいな。ここから一キロほど上がったところにいいブナ林がありましてね。これ、みんなそこで私が撮影したんですよ」

弾むように言いながら、木村は野鳥が写った何枚ものパネル写真を持ち出してきた。

「これがツツドリです。可愛いでしょ？　ポンポン、ポンポン、って鳴くんです」

小松崎は微笑んだ。

出生に纏わる話を「告知」されたのは、母が亡くなった翌年、小松崎が県警の巡査を拝命した春だった。父が腎臓を悪くして入院した。手術が決まり、輸血が必要だと医者に告げられた父は、ひどく深刻な顔で小松崎をベッドに招き寄せた。両親と息子の血液型が合わないことを隠しておけなくなったのだ。

こう耳打ちされた。お前が一歳になるかならないかの時、俺たち夫婦が乳児院から引き取った。お前の本当の両親は山の事故でいっぺんに死んじまったんだそうだ。隠してたわけじゃないんだぞ。ただ言いそびれてしまってな――。

衝撃はなかった。中学の頃には薄々勘づいていた。ニキビを気にして鏡をよく見るようになったからだった。両親のどちらにも似ていない自分に気づいた。血液型の話題がラジオで流れると茶の間の空気が白む。両親の顔色と声質が変化する。一度ならずそんなことが重なれば、思春期を迎えた子供なら誰だって察知する。

両親を問い詰めるようなことはしなかった。本当のことを知るのが恐ろしかった。知ってしまったら、この家を出て行かねばならないと本気で考えていた。今とは時代も違う。何もかもが揃って恵まれている子供など周りのどこにもいなかった。戦争で父親を亡くした子。俯いて米や味噌を借りに来る子。母親が身を売っている子だっていた。小松崎の苦悩はそうした時代の中で幾分は薄められ、また慰められてきたのだと思う。

「お次はお馴染みのカッコウです。でも、鳴き声はよく耳にしても、姿を見ることは滅多にないでしょう？　目の周りと足が黄色でね、とっても凜々《りり》しいですよね」

乳児院から貰われてきた子。父が語ったその物語を小松崎は受け入れた。哀しみでも憎しみでもなく、感情の熱い塊として己の出自を胸に抱いた。それは刑事として生きた小松崎の原動力となっていたと思う。自分は他の人間とは違う。後ろは振り向かない。ただひたすら前を見てがむしゃらに突き進む――。数えきれないほどの悪党を縛った。出世もした。器用でも頭が特別切れるわけでもなかった小松崎が、たたき上げの刑事として四半世紀ぶりに部長ポストを射止める快挙を成しえたのも、胸にあの熱い塊を抱えていたからにほかならない。どれほどの窮地に立たされようが、辛酸を舐めようが、塊が熱を失うことはなく、心を衝き動かし、目の前の道を切り開き、小松崎に特別な人生をもたらしてくれた。感謝こそすれ、恨みに思ったことはない。だが――。

まずは女を疑い、あらゆる女の企みを暴いてきた。どこかに潜んでいたか。女への、母というものへの疑心が。自分を産み落とした母を知ることのなかった頼りなさが、やり場のない苛立ちが、『女殺しの小松崎』を造り上げていったか。

ひょっとしてあんた、知ってるんじゃないのか？　婆さんが歩いた理由も、葉書の差出人が誰なのかも――。

父に聞かされた物語を受け入れはした。だが、本心その物語を信じていたろうか。時として思った。乳児院から引き取ったのなら、どうして両親と血液型の合う子供を選ばなかったのか、と。

「これがジュウイチです」

小松崎は目を上げた。木村が嬉々としてパネルを指さしている。

「鳴き声からその名がつけられたんですね——ジューイチ、ジューイチ」

その鳴きまねを、小松崎はどこか照れ臭い思いで聞いた。

「しかし、あの県警の人もまったく惜しいことをしましたよ。いえね、去年、事故の関係でいらした時、三つまでは鳴き声を聞いたんですよ。ツツドリ、カッコウ、ジュウイチまでは。ところが、あの人が帰って五分もしないうちに来たんですよ、鳴いたんですよ、ホトトギスが！　四つ揃ってパーフェクト達成。あと五分あそこにいればねえ。いやもう、なんて不運な人かと思いましたよ」

昨日、図鑑を読んでいたからパーフェクトの意味は理解できた。日本に来るカッコウ類すべての鳴き声をいちどきに聞けたということだ。いや、それだけではない。

托卵——。木村が名前を挙げた四種類の鳥は、いずれも他の種類の鳥の巣に卵を産み、自分の子を仮親に育てさせる習性を持っている。

5

安田明子。

名前と墓の場所だけはどうにか聞き出せた。

身寄りのない入所老人のために造られたという共同墓地は、ホームの裏手の小高い丘の上にあった。

下段の右から三つ目。聞かされた場所に手作りの小さな墓標があった。地中に半分埋もれた苔むす石が、その下に眠る死者の呟きを封じ込めているように思えた。

小松崎は、その石の前にしゃがみ、合掌した。

生きていれば七十七歳。そうなら十六か十七で小松崎を産んだことになる。

祖母が家の表に出していた産婆の看板に縋ったのだろう。お前は捨て子だった。父はそう言えずに咄嗟の作り話を息子に聞かせた。

音もなく、春風が吹き抜けてゆく。

ここからは、「霧山郡」のパノラマが見渡せる。

謝意でも、悪意でもなかった。

安田明子はホームで『新署長紹介』の記事を目にした。小松崎。そうある苗字ではない。産婆の看板とともに記憶に止めていた表札とも重なった。歳も合う。すぐに自分の息子だと気付いたに違いない。

ホームの職員に東部署の住所を調べてもらった。年賀状を一枚だけ買った。不自由になった右手で書いたのか。それとも慣れない左手で……。

年賀状……暑中見舞い……年賀状……そしてまた暑中見舞い……。

おそらくは、唯一の楽しみだった。

おそらくは、小松崎を誇りに思っていた。

おそらくは、いつか小松崎が自分を探し当て、訪ねて来てくれることを願っていた。

だから、「霧山郡」と記した。微かな希望と期待をこめた、それは祈りだったのだろう。

小松崎は合掌の手を離せずにいた。汗が滲んでいた。

托卵……。

新しく着任した木村所長は、老人たちにもその話をして聞かせたに違いない。

安田明子の心は揺れたろう。

赤子を他人に托した自分の身と重ね合わせたろう。

それでブナ林を目指したか。

歩けぬ足で歩いたか。

その胸にはどんな思いを抱えていたか。

心は苛まれていたか。

自分を責めていたか。

それとも、十三年経っても現れぬ息子に絶望していたか。

死に場所にブナ林を選んだ——。

眼下に、そのブナ林が見える。そこへ向かう細い道が見える。

杖をつき、ゆっくりゆっくり歩いていく後ろ姿が見える。体重が二十八キロしかない、小さく、細く、腰の曲がった老婆の後ろ姿が。

小松崎は目を閉じた。

――もっと早く来てやればよかった。もっと早く……。

涙の一滴が足元の墓石を打った時、ざわざわと体中の細胞が騒ぐあの感覚が、霧が晴れるかのように消えていった。

6

三月三十一日。快晴――。

朝から慌ただしかった。

六時丁度。仙台から美佳が改まった声で電話を寄越したと思ったら、すぐその後に昭彦がエジプトから国際電話を入れてきた。

六時半には官舎に各社の記者が総出で押しかけてきた。ノートパソコンを贈られた。なんせ女殺しの小松崎なんだから老け込んじゃ駄目ですよ。こいつでエロサイトでも覗いてピンピン元気でいてください。記者たちは口々に好き勝手なことを言って小松崎を笑わせた。

八時過ぎに登庁。一階から六階まで各課に顔を出し、挨拶を済ませて部長室に戻るともう十時を回っていた。部屋には後任の田崎がいて、小松崎が散々汚したデスクに雑巾を当てていた。その田崎を一喝して追い出すと、高嶋課長と津田次席が、どうでもいいような書類と、いつでもいいような書類を大量に持ってきた。二人して、決裁をする小松崎の姿を直立不動で見つめていた。

十一時。捜査一課のフロアで、一課、二課、鑑識課の課員を前に最後の訓授を行った。熱い魂と素朴な正義感を胸に、あまたの悪と戦い続けて欲しい。以上――。かってそうした畏引き締まった顔が重なり合うその中に、倉石のやくざ顔を探していた。かつてそうした畏まった場に一度も姿を見せたことのない男に、最後の訓授だからといって顔出しを期待した自分に苦笑した。

そろそろ下にお集まりください。十一時半には警務課員が呼びに来た。零時から退任セレモニーだ。退職者一同揃って、本部の玄関前から駐車場のマイクロバスまで県警職員が総出でつくる花道を歩く。その後は厚生会館で退任祝いのパーティーという段取りだ。

L県警刑事部長。『女殺しの小松崎』――。戻るのだ、ただの小松崎周一に。制服のボタンを留め、白手袋をはめ、制帽を手にして部長室を出た。後ろは振り向かなかった。奉職して四十二年、ずっとそうして生きてきたのだから。

エレベーターで一階に下りた。廊下に大勢の退職者が集まっていた。今年は四十三人だと聞いた。懐かしい顔ばかりだ。一線の所轄や駐在所で定年を迎える仲間も多いから、五年ぶり、十年ぶりの顔も覗く。やあやあの声と握手の連続だ。みんな笑っている。四十年の歳月を刻んだ皺だらけの顔が、新任巡査として酒を酌み交わした当時の紅顔に戻っている。

そんな感慨深い人の輪の中にあっても、やはり視界のどこかに探していたからだろう、退職者の間を縫って歩いてくる倉石にすぐ目がとまった。

向こうから声を掛けてきた。

「どうにか間に合ったみたいだな」

「送ってくれるのか」

「そうじゃねえ。刑事部長に最後の報告だ」

「何だ?」

倉石はだるそうに首を回した。

「早く言え。俺が部長なのはあと数分だ」

「例の婆さんの件だ——あれは事故死と断定した」

胸に突き上げるものがあった。

餞《はなむけ》——。

「三が十に昇格したってわけか」

「そういうこった」

「無理するな」

多分に感謝の意を込めて言った。倉石はわざわざ嘘を言いに来てくれた。

だが——。

「なめるなよ」

倉石の目つきは厳しかった。

「ホームで婆さんの世話をしていた職員に会ってきた。鳥の鳴き声を聞きに行きたい。くたばる少し前、婆さんはそう言ってたそうだ」

「鳴き声を……？」

「ジュウイチの鳴き声だ——部長、思い当たらねえか」

小松崎は瞬きを重ねた。

ジュウイチ……。

先に思い出したのは、ホームの所長がジュウイチの鳴きまねをした時の、くすぐったいような感覚だった。

「あっ……！」

思わず声がでた。

突き当たったのだ、子供時代の記憶に。

聞いていた。昔、ジュウイチの鳴き声を聞いたことがあったのだ。いや、それがジュウイチという鳥の声だとは今の今まで考えもしなかった。

下校途中だった。

空から自分の名前を呼ばれた気がした。

周一――。

「えー、二列にお並びくださーい!」

警務課員が声を張り上げた。

小松崎は目を見開いたままだった。

周一。両親ではなく、安田明子が付けた名前だったのか……。だから所長の話を聞いて、ジュウイチの鳴きまねを聞かされて、安田明子はただ本物のジュウイチの鳴き声を聞きたくてあのブナ林に――。

母は……。

いや、そうとは限らない。

そう、母はやはり死ぬ気だったのかもしれない。ジュウイチの声を冥土の土産に……。

「事故死だ」

倉石が念を押すように言った。

「だが……」

「他にも理由がある」

「何だ……?」

「自慢の息子とやらを持った母親が自殺したケースは過去に一件もねえ」

倉石は、すっと右手を上げ、伸ばした二本の指でこめかみの辺りを擦る仕種をした。

それが敬礼だと気づいた時には、もう倉石は背中を向けて歩きだしていた。

「倉石──」

呼んだが、振り向かなかった。

突然、玄関の前に陣取った県警音楽隊が演奏を始めた。

蛍の光。

──バ、バカ野郎……！

小松崎は声を上げそうになった。

去年も一昨年も威勢のいいマーチで送り出したではないか。なぜ今年に限って蛍の光なんだ。いったい誰がこんな臭い演出を──。

悪態をつきながら、しかし、もう胸は熱くなっていた。

「どうぞ、外へお進みくださーい！」

警務課員が促す。

進めと言ったって、こんな顔で──。

いや、周りのみんなの顔もクシャクシャだ。

ままよ──。

小松崎は玄関を出た。

地鳴りのような拍手が湧き上がった。ご苦労さまの声。お元気での声。大きな花束が手渡された。何百という笑顔がこっちに向いていた。

「長い間、お世話になりました」

ひと言だけ言えた。

後は声にならなかった。

何も見えず、何も聞こえなかった。

転ばないように。それだけを考えながら小松崎は花道を歩いた。

声

〈死ね。お前みたいな女は早く死んじまえ！ 死ね！ 死ね！ 消えてなくなれ！〉

1

ときめいていた。

着物にしようか、洋服にしようか、姿見の前で散々迷った挙げ句、斎田梨緒《さいだりお》はベージュのスーツに袖を通した。そうしてみてまた迷う。なまじ着付けを習ったりしたものだから、やはり着物でと気持ちが揺らぐ。梨緒の瞼には講演で目にした端正なマスクが焼きついているが、「先生」のほうは梨緒を初めて見るのだ。正月なのだし、振り袖姿でしゃなりと訪問したほうが良い印象を持たれそうな気がする。

が、結局のところ、母の形見であるパールのネックレスをつけたい欲求が勝った。どのみち髪を結っている時間はないのだし、スーツのほうがよほど大人っぽく見える。子供に見られたらおしまい。それが最も重要なことに思えて梨緒は振り袖への未練を断ち切った。

家の中は静まり返っていた。

叔父と叔母は朝早くに年始回りに出かけたきりだった。誰に遠慮することなくペタペタと音をたてて廊下を歩けるささやかな解放感が梨緒を愉快にさせた。こんな時、足音を忍ばせ、背中に張りつくような叔父の視線に追われながらの外出だったら興ざめだ。「妹」の宏美《ひろみ》には少しだけ自慢してみたいが、高校の交換留学でオーストラリアに行っていて夏まで戻らない。

――宏美が帰ってくるまでに、先生とどうにかなってたりして……。

梨緒は胸に手を当てた。高鳴っている。それに熱い。あの日と同じだ。

十一月に催された短大創立五周年の記念講演会だった。学長や来賓の退屈な挨拶が続き、梨緒はあくびをかみ殺すのに苦心していたのだが、講師が登壇した途端、パッと眠気が飛んだ。梨緒ばかりではない。周りの女学生たちも隣同士突っつきあいながら壇上に目を凝らし、なかには黄色い声を上げるグループまでいた。

とびきりの美形だったからだ。背はスラリと高く、小麦色の凜々しい顔立ち。なにより涼しい目元が印象的だった。講師紹介の刷り物を見ると、「カウンセラー　見供政之《みともまさゆき》41歳」とあった。本当だろうかと梨緒は壇上に目を凝らした。どうみても、その若々しい表情は三十代の前半にしか見えなかったし、声にも驚くほど張りがあった。

演題は「ストレスの風景とメンタルヘルス」だった。中高年サラリーマンの「むなしさ病」や「微笑み鬱病」「帰宅拒否症」の話は興味深かった。バイ菌を恐れて手を洗ってばかりいる「アライグマ症候群」や「自己体臭恐怖症」「ダイエット中毒症」は、梨緒のまわりにも思い当たる友達がいくらもいて、かなりハラハラさせられた。

講演は大拍手のうちに終わった。梨緒も誰にも負けないぐらい懸命に拍手した。見供自身が注目を集めたのは確かだったが、話が面白かったのも本当だった。

レポートを書こう。梨緒が一大決心をしたのは、多分、両方の理由からだった。講演がつまらなければ書かなかったろうし、無論、見供が凡庸な容姿だったらペンを執ることはなかった。だから、半分はラブレターなのだと投函するとき思った。実際、レポートが十二月半ばに書き上がったのをいいことに、開くとクリスマスソングを奏でるカードをちゃっかり同封した。

それはそれで梨緒の気は済んだのだが、驚いたことに見供から年賀状が届いた。

〈素晴らしいレポート拝読しました。正月休みにでも遊びにいらっしゃい〉

梨緒は自室に駆け込み、ぴょんぴょん跳ねて喜んだ。そして昨日、またしても一大決心をして、賀状に印刷されてあった電話番号をプッシュした。

《明日の午後でいいかな。女房に死なれてからいい加減な正月が続いていてね》

梨緒に異存はなかった。頭に「独身」の二文字が突き上げ、人の死にうっかりほくそえんでしまった自分の心を覗いてしまったが、それとて湧き上がる喜びに水を差すものではなかった。

——嘘みたい。

梨緒はキッチンで朝食を用意しながら思った。恋愛経験は乏しい。かつて自分のほうから男に接近したことはなかった。だからなおさらだ。自分の大胆さを深読みし、一目惚れ以上の何かを感じて気持ちが高ぶる。トーストは半分も食べられなかった。この日何度目かの歯磨きを済ますと、いそいそ二階へ上がった。

ドレッサーの前に座る。鏡に顔を寄せ、小鼻の脇に散見するそばかすを指で辿る。中学のころは本気で悩んだものだが、化粧をしていい年齢になってコンプレックスは薄らいだ。いや、梨緒のそばかすは肌が白いことの裏返しなわけだし、その透明感のある白さが、目も鼻も口も慎ましい顔立ちに上品さというか、儚《はかな》さのようなものを与えていて悪くないと思えるようになった。もう少し目が大きければとも思うのだが、全体のバランスを考えると、これでいいのかもしれない。

薄めの化粧を、しかし念入りに施し、新色の口紅を引くと梨緒は少し慌てだした。ベッドの枕元の目覚まし時計は一時を指している。五分進ませてあるのだが、それにしてもあまり時間がなかった。

小走りで部屋を出て、梨緒は「いけない」と小さく声を発して足を戻した。窓際の金魚鉢に歩み寄る。朱色の小さな和金が二尾、梨緒の気配を感じてクネクネと体を揺らしながら水面近くに浮き上がってくる。プラスチック容器から粉末餌を一摘みして、パラパラッと水面に落とす。競って餌を吸い込むさまを見届けると、梨緒は「行ってくるね」と微笑み、マニキュアの光る爪の先で金魚鉢をつついた。

若草色の軽自動車で家を出た。

空気の澄みきったこんな日は山が近い。県境の山並みは、真っ青な空に銀紙細工のような頂を覗かせている。見供政之の住む相野市までは一時間弱の距離だ。道は空いていた。正月だからそうだというのではなく、梨緒の生まれ育った北沼町は、名前にこそ「町」がついているが、実際には田んぼと畑ばかりが広がる過疎の村だ。

県道をひたすら南に走る。小さな橋を渡り、隣町に入ると梨緒の心はふわっと軽くなった。いつもそうだ。脱出した。そんな気持ちになるのだ。

沿道にはパチンコ店や郊外型の書店などが現れ始め、梨緒の通う愛育女子短大のとんがり屋根も見える。叔父は山を幾つも所有している資産家だ。五歳の時いちどきに両親を亡くした梨緒を引き取り、高校ばかりか短大にまで上げてくれた。感謝している。ありがたいと思っている。けれど目が怖い。絡みつくような、あの叔父の視線が恐ろしい。叔母は気づいている。梨緒が肌を多く晒した服を身につけると、一日中、口をきいてくれない。

脱出。だから脱出……。

相野市に入った。道順は電話で大まかに聞いていた。市役所の一つ先の信号を右折。二つ目の十字路を左折して、あとは右側に出ているはずの看板を見逃さなければいい。

すぐに見つかった。「見供クリニック」——。

電話の説明を頭の中で復唱する。〈矢印に従って坂を上ると白タイルの建物が見える。その門には入らず、塀沿いにグルッと裏に回って——〉。その通りに走ると、〈瓦屋根の天然記念物みたいな旧家〉が見えてきた。門松、しめ縄、日の丸の三点セットが、いかにも手慣れた感じで配されている。名門。そんな雰囲気が漂う。

梨緒は気後れした。胸の高鳴りは普通ではなかった。

「ごめんください」

表の格子戸を体の幅だけ開き、控えめに声を掛けた。応答がない。もう少し大きくと息を吸った時、中で「はーい」と応じる声がして玄関のガラス戸が震えた。

背中が頭より高く見えるほど腰の曲がった老婆が、その見掛けに似合わぬ早足でつつっと出てきて、曲がった腰をいよいよ曲げて丁寧にお辞儀をした。

「あーあー、電話のお嬢さんね、はいはい、政之ぼっちゃまから聞いとりますよ、上がってくんなさい」

出てきた時と同じ素早さで、老婆が家の中に入っていく。その後ろ姿は小刻みに左右に揺れて、背中に組んだ手を羽に見立てればアヒルの散歩のようだ。梨緒はクスッと笑った。アヒル歩きにではない。老婆が口にした「政之ぼっちゃま」に思考が追いついたからだった。医者の一族か何かで見供は育ちがいいのだろう。秘密のベールが一枚剝がれたような気がして梨緒の緊張は幾分和らいだ。

床の間のある八畳に通された。梨緒は行儀よく座ってスカートの裾を整えた。

廊下に足音がした。

梨緒は頰に熱を感じた。きっと真っ赤な顔をしているに違いなかった。

襖が開いた。

「やあ、おめでとう」

梨緒は畳に指をついた。

「明けましておめでとうございます」

「おっと、初めましてが先かな？」

「あ、はい、そうですね」

上目遣いの視界に見供の姿をとらえ、梨緒は内心胸を撫で下ろした。道すがら、見供が和服だったらどうしよう、正月なのだからやはり振り袖にすればよかったと、またしても迷いの虫が起きだしていたのだ。が、目の前の見供は洋装で、しかも梨緒と似たようなベージュのウールジャケットを着ていた。

「よく来てくれたね。道、すぐわかった？」

「はい、わりと簡単でした」

「じゃあよかった」

「先生、年賀状、本当にどうもありがとうございました。私、嬉しくて飛び上がっちゃいました」

「いやいや、こっちこそ驚いた。まさか、こんな素敵なお嬢さんだとはね」

お世辞には聞こえなかった。梨緒は舞い上がった。

「えーと、名前だけど、やっぱり『りお』って読むの？」

「そうです」

「斎田梨緒さんか。いい名前だね」

「私も気に入ってます。あ、昔は伊藤梨緒でした。五歳の時、叔父のところへ引き取られてから斎田になりました」

見供は眉を寄せた。

「うん。レポートでご両親を亡くしたこと知ったけど……事故か何かで？」

「交通事故でした。母が運転していたらしいんですが、対向車線にはみ出してしまって、それでトラックと……」

朧《おぼろ》げに覚えている。幼稚園の先生が真っ青な顔で梨緒に何事かを告げた。叔母の車に揺られて家に戻った。白い柩《ひつぎ》が二つ並んでいた。泣いた記憶はない。その時の感情がどうしても思い出せない。降って湧いたような悲劇を現実のこととして受け止めるには幼すぎたのだろうと思う。

見世は何度も頷き、湿っぽさを吹き飛ばすように明るく言った。

「しかし年賀状にも書いたけど、君のレポートは見事だったな。いろんなところで講演したけど、感想をレポートにまとめて送ってもらったなんて初めてだしね。それも三十枚。大変だったろう？」

「そうでもありませんでした。私、先生の講演に刺激されちゃったんです」

「いや、よく書けていたよ。田舎特有のストレスについての考察は説得力があったな」

「そんなこと……」

梨緒は照れ笑いを浮かべた。本当のところ、レポートではなく、「ＳＯＳ」の発信だったかもしれない。遠くの世界に住む「先生」に甘え、縋ったのだ。ずっと誰にも話せずにいた、積もり積もった思いの丈を書き綴った三十枚だった。

村の暮らしにうんざりしていた。洋服ダンスの中身まで近所の人たちに知られているようなやる瀬なさ。どこで幾らの買い物をしたかも筒抜けになってしまう苛立ち。誰もがアルバムを共有しているような息苦しさ。いつまで経っても「可哀相な梨緒ちゃん」から卒業させてもらえず、物憂《う》げな心と顔を強要される。

「紅茶でいいかな？」

見供が言った。悪戯《いたずら》っぽい笑みを浮かべている。

「でも……」

老婆がお茶を出し、部屋を出ていくなり見供が切りだしたものだから梨緒は一寸言葉に詰まった。

「私が飲みたいんだ。婆やは日本茶しか淹《い》れてくれないからね。一度頼んだことがあったんだ。そうしたら、インスタントコーヒーみたいに、紅茶の葉をそのままカップに入れて湯を注いだものだから――」

二人は顔を見合わせて吹き出した。

連れ立って奥の洋間に移った。見供は一旦奥に引っ込み、ポットを手に戻ってきた。

「あっ、私やります」

「まあ、いいから。私の淹れる紅茶もわるくはないよ」

「すみません」

梨緒は有頂天だった。短大の友達が聞いたら何と言うだろう。みんなが憧れた「先生」の自宅に招かれ、紅茶まで淹れてもらっている。抜け駆けの罪悪感もちょっぴりあるが、それがまた愉快でならない。

「梨緒ちゃん、いくつ？」

「えーと、一つ、お願いします」

「砂糖じゃないよ。歳《とし》さ」

また二人同時に吹き出した。

「一つじゃ赤ちゃんですよね。十九です」

「おっと、十九か。危うくブランデーをたらすところだった」

見供がからかうので、梨緒はつい鼻にかかった声を出した。

「そんなあ、三月には二十歳になります」

「わかったわかった、それじゃあ少しだけたらしてあげよう」

見供は目を細めて笑うと、サイドボードからいかにも高級そうな洋酒の瓶を取り出した。

ほどなく花柄のティーカップが梨緒の前に差し出された。

「さあ、どうぞ」

「ホントにすみません。いただきます」

梨緒はアルコールにからきし弱い。ビールを二口、三口飲んだだけで、顔や指がピンクに染まるし、動悸が激しくなることもある。しかし目の前の紅茶は何ともいえないいい香りがした。

カップをそっと口に運んだ。

「おいしい」

「そう。それはよかった」

一滴のブランデーの効果もあってか話は弾んだ。梨緒は会話と見供に夢中になっていた。

「そのネックレス、素敵だね」

「母の形見なんです」

褒められて嬉しかった。梨緒はにっこり笑った。が、その時、ふっと軽い目眩を感じた。

「どうしたの?」

「あっ、いえ……大丈夫です」

「ブランデーのせいかな?」

「そんなあ、いくら私でも――」

言いかけて、梨緒は微かな不安にとらわれた。

見供の目の動きがそうさせた。すっと下がった視線が梨緒の体の線をなぞったように思えたのだ。心のどこかで望んでいたことだった。だがそれは「叔父の癖」にあまりによく似ていた。

目眩が強まった。

誰かの声が聞こえた。

〈死ね。お前みたいな女は早く死んじまえ! 死ね! 死ね! 消えてなくなれ!〉

2

訃報は月曜日の早朝に舞い込んだ。

迎えの車を待つ間、三沢勇治は官舎のキッチンで放心していた。二十年も検事をやっていれば大抵のことでは驚かなくなるものだが、さっきの電話ばかりは例外だった。

斎田梨緒が自殺した――。

三沢は喉に渇きを覚えていた。

梨緒の寂しげな顔が目に浮かぶ。福島の山村の出身。短大を中退して四年制大学に入り直し、働きながら司法試験を目指した。二十八歳で合格し、三月前、実務修習生としてL地検に来た。既に裁判所と弁護士事務所の研修は終えていた。地検であと一月研修すれば東京の司法研修所に戻り、後期講習を経て法曹人の仲間入りを果たすはずだった。

透き通るような白い肌をした女だった。謎だらけの女でもあった。なにより、男を惹きつけずにはおかない不思議な魅力が――。

外で車のクラクションが鳴った。

三沢は書類鞄を手に官舎を出た。妻が何か言ったが耳に入らなかった。

公用車の後部座席に乗り込んだ。運転席の浮島《うきしま》事務官は振り向かなかった。互いに朝の挨拶も交わさず、車は梨緒が自殺したマンションに向けて走り出した。

数分して三沢は口を開いた。

「自殺で間違いないのか」

ルームミラーに浮島の左目が映った。

「間違いないでしょう。県警の倉石が視たそうですから」

「手段は？」

「包丁で胸を刺したそうです」

「いつだ？」

「今から二時間ほど前です」

「自殺の原因は？」

「不明です」

「………」

また数分してから三沢は言った。

「なぜ斎田は自殺したと思う？」

「わかりません」

浮島は即答し、ミラーに映した左目で三沢を見た。

「検事はなぜだと思うんです？」

「わからん」

三沢も即答した。

信号待ちの車内に嫌な空気が流れた。三沢の胸中も同じだった。嫌悪とも憎悪ともつかない黒々とした感情が対流し、鬩ぎ合い、叫び声を発しそうになっていた。

それは青信号を待たずに我慢の限界に達した。

「浮島――」

「はい？」

「お前、何か知ってるんじゃないのか」

ミラーに両眼が映った。怪訝そうなその目がジッと三沢を見つめた。

「どういう意味です？」

「青だ」

浮島は視線を外し、車を発進させた。前方を見たまま再度言う。

「検事、どういう意味です？」

「お前、色々と斎田の相談に乗ってやってたようじゃないか」

「それは検事も同じでしょう」

返してきた言葉に険があった。

三沢は浮島の後ろ姿を凝視した。生真面目で従順な検察事務官だった。斎田梨緒が三沢検事室に配属になるまでは。

これまでのように腹の探り合いをしていても始まらない。検事室の空気を変えた梨緒は死んだのだ。

三沢は助手席のシートを摑んで身を乗り出した。浮島の横顔に言う。

「お前のカミさんがウチのに聞いてたらしいぞ。ここのところずっと帰りが遅い。そんなに忙しいんでしょうか、ってな」

浮島はちらりと三沢を見た。

「ウチのも検事の奥さんに相談されたらしいですよ。最近なんだかそわそわしている。着ていく服にも妙にうるさくなった――」

二人して黙り込んだ。

三沢の内面は波立っていた。確かに普通ではなかった。自分も、浮島も。

梨緒はとびきり美人というわけではなかった。色の白さは驚くほどで、顔立ちもそれなりに整っていたが、眼差《まなざ》しが暗く、どちらかと言えば地味なタイプの女に分類されそうだった。初顔合わせの時、「判事志望です」と明言し、それも梨緒に対する興味を減じさせた。既に裁判官になると決めてしまってる者に本気で検事の仕事を教える気にはならなかった。だからしばらくは、梨緒とセットでL地検に来た修習生、安達久男の面倒を熱心にみていた。

その安達が梨緒に惚れた。猪突猛進型の男で、かなり強引に口説いたらしいが梨緒はまったく相手にしなかった。それでも飲むたび安達は刑事訴訟法などどこへやら、思いつく限り、十も二十も梨緒の魅力を並べ立てた。三沢のほうも、なるほど言われてみればそうかもなと刷り込まれたようなところが少なからずあった。

だからといって、三沢が梨緒を女として意識するようになったわけではなかった。所詮は「若い連中のこと」と遠目で見ていた。それが微妙に変化したのは三沢自身の軽口がきっかけだった。実務修習も半分ほどが過ぎた頃、梨緒に向かって安達をどうにかしてやれと冗談交じりに言ったのだ。そのとき梨緒が覗かせた、怒ったような、それでいてどこか悲しげな表情が忘れられない。彼女は言った。「私、若い人には興味がありません」。四十七歳の三沢はたじろいだ。その場に四十二歳の浮島も居合わせていた。

恥じ入るよりほかない。恋愛対象。そう知らされてみて梨緒を意識するようになったということだ。「地味な女」は三沢の裡で見事に化けた。鳶《とび》色の瞳。光を透かす薄い耳たぶ。唇のライン。声。言葉。そして甘酸っぱい香り。どれもが好ましく感じられるようになった。最初からそうだったのかもしれない。自分を誤魔化し、気持ちを押し隠し、「危ういもの」をやり過ごそうとしていた。そんなふうにさえ思えてきた。浮島が同じ「罠」に嵌まったことはわかっていた。狭い検事室は、梨緒のいる時間、青臭く尖った空気に支配されるようになった。

車は朝の渋滞に巻き込まれていた。

赤色回転灯をルーフに載せ、ガラガラの反対車線を突っ走ってしまうこともできる。が、浮島は提案せず、三沢も命じなかった。

梨緒はなぜ自殺したのか。

三沢は事の真相をはっきりさせてから梨緒の死体と対面したかった。腹の中には浮島に対する疑念が渦巻いている。

熱を帯びた言葉が口をすり抜けた。

「お前、斎田と付き合ってたのか」

「検事はどうなんですか」

「俺は付き合ってなんぞいない」

「私もそうです」

沈黙があった。

三沢は検事口調になった。

「お前、なぜ吉田元治の取り調べを斎田にやらせた？」

「検事の許可は取りました」

「お前が窃盗の被疑者だと言ったからだ」

実際には強姦致傷の被疑者だった。修習生に軽微な事件の被疑者を調べさせることはある。だが強姦は重罪だ。ましてや女の修習生を当てるのは乱暴というほかない。

「うっかりしました」

「嘘をつけ」

浮島の心は見透かせた。梨緒に対する想いは相当に高ぶっていた。だが自分は検察事務官だ、妻子だっている。だからストレートに気持ちを表すことができず、悶々とした思いが浮島をサディスチックな行為へと走らせたのだ。悪質なセクハラと言えた。梨緒が動揺すれば付け込める。おそらくはそんな計算も働いていたに違いなかった。

それは図に当たった。強姦男をぶつけたことは浮島の計算以上の結果を引き出した。

吉田元治が狂喜したのだ。梨緒の体を舐め回すように見つめながら、自分がどう女を犯したか、微に入り細を穿《うが》ち、得意になって喋った。梨緒は気丈だった。吉田を睨み付け、時には声を荒らげ、どうにか取り調べを続けていた。だが、吉田が「どんな女でも最後はケツを振りやがる」とせせら笑った時だった。梨緒の目から涙が溢れた。そして呻くように言った。

「私もレイプされたことがあります。殺されるのと同じことです」——。

以来、梨緒と浮島は急接近した。

「守衛が何度も目撃してる。お前と斎田は夜中まで検事室に残ってた」

「相談を受けていただけです」

「お前がそうさせたんだろうが」

三沢が語気を強めると、ミラーに映った浮島の目が尖った。

「検事だって相談に乗ってたでしょう」

「仕方ないだろう。あれから斎田は休みがちになったんだ」

ミラーの目が微かに笑ったように見えた。

「何が可笑しい？　心配だったんだ。お前とは違う」

「どこまで聞きました？」

「何がだ？」

「レイプの話です。斎田はどこまで検事に話したんです？」

挑むような言い方だった。

「短大の時、憧れてたカウンセラーに薬を飲まされて襲われた——そう聞いた」

「それだけですか」

「それだけ……？」

「彼女、幼い時分に両親を交通事故で亡くしてます」

「それは知ってる」

「叔父の家に引き取られましたが、その叔父に悪戯をされていたんです」

三沢は息を呑んだ。初耳だった。

「叔父はアメ玉を手に毎晩のよう彼女の部屋に現れた。カウンセラーにレイプされた時、そのことをはっきり思い出したんだそうです。忌まわしい記憶だから無意識に消そうとしてたんでしょう。しかし無理やり記憶を呼び覚まされてしまった。だから彼女は東京に逃げ出した。男を裁きたい。そう決意して司法試験を目指したのはその結論部分だけだった。三沢が梨緒から聞かされていたのはその結論部分だけだった。衝撃的な話ではあったが、梨緒が死んでしまった今、同情よりも浮島に対する嫉妬と憎悪が数段勝った。

「お前、斎田と寝たのか」

浮島は目も歯も剝きだして振り向いた。

「ゲスの勘繰りはよせ!」

三沢も沸騰した。

「どっちがゲスだ! 汚い手で女を籠絡しやがって! 強姦野郎をかましたせいで斎田はおかしくなっちまったんだ。わかってるのか? 彼女が自殺したのはお前のせいなんだぞ!」

「あんただって同罪だろう! 先週、斎田に何をした?」

「何だ、俺が何をした? 言ってみろ!」

後ろでクラクションを鳴らされた。

浮島は車を急発進させた。交差点を突っ切り、前方の車との距離を詰めると、怒りを押し殺した両眼をミラーに映した。

「司法解剖に斎田を連れて行ったじゃないですか」

「それがどうした? 研修の一環だ。修習生が来れば一回は見せる」

「なぜ西田教授でなく大井助教授の執刀にぶつけたんです？　あいつは変態だ。立ち会いの婦警に死体の陰部をまさぐらせたりする」

「大井の執刀を狙ったわけじゃない」

「しかも、あの日の死体は若い女だった。大井ははしゃいで斎田に言ったじゃないですか」

ほーれ、よく見てみろ。アンタより死体のほうがいい体してるぞ——。

「確かに奴は腐ってる。だが——」

遮って、浮島が言った。

「その腐ってる大井に斎田を当てた。彼女の様子、検事だって見たでしょう？」

梨緒の白衣姿が脳裏にあった。

大井が解剖する様を身じろぎもせず凝視していた。目に異様な光を宿していた。女の体を嬉々として切り刻む大井に激しい嫌悪をもよおしていたに違いなかった。

フロントガラスの前方に梨緒の住んでいたマンションが見えていた。警察の車両が何台か止まっている。

浮島が静かに言った。

「認めますよ。私は斎田に吉田元治をぶつけた。検事、あなたも認めてください。大井助教授に吉田の役をさせた。彼女の心を揺さぶってそこに付け込もうとした。彼女の気持ちが私に傾いていると感じて焦っていた」

「違う」

「清めの飲み会で検事は斎田の隣に張りついた。ショックだったろうけど、ああいうのも一度は見ておいたほうがいいんだ。優しい言葉を掛けて彼女に取り入ろうと懸命だったじゃないですか」

「この野郎、盗み聞きなんかしやがって」

「私にはわかるんですよ。検事の気持ちが嫌ってほど」

「黙れ。お前に何がわかる」

「彼女には魔力のようなものがあった。好きになったら引き返せなくなる」

瞬時、二人は同じ高さの宙を見つめた。

「解剖が木曜でした。斎田はあれからおかしくなった。清めの飲み会ではほとんど口をきかず、金曜も塞ぎ込んでいた。そして土日が明けた今日、彼女は自殺した」

「俺のせいだって言うのか」

浮島は車をマンションに寄せながら、抑揚のない声で言った。

「そうです。あの解剖が原因だったんですよ。斎田を自殺に追い込んだのはあなただ」

3

エレベーターの中では二人とも無言だった。

三沢の胸には苦いものが込み上げていた。互いに責任をなすり付け合ったが、もはや認めざるをえなかった。斎田梨緒の関心を引くべく策を弄した三沢と浮島は、結果としてセカンドレイプの共犯関係にあったということだ。

だが……。

それが自殺の理由のすべてとは思えなかった。

梨緒が男を憎んでいたことは疑いの余地がない。強姦男の取り調べと大井助教授の司法解剖が忌まわしい過去を蘇らせてしまったことも確かだろう。しかし彼女は「男を裁く」と意を決して法曹界を目指したのではなかったか。司法試験を突破するのは並大抵のことではない。ましてや彼女は学業的エリートとは無縁の道を歩いていたのだ。試験にパスするために、それこそ血の滲む努力をしたはずだ。そんな彼女がいまさら男の醜悪さや獣性にニアミスしたからといって、自ら死を選択することなどありえるだろうか。

責任回避をしている。そうなのかもしれなかった。梨緒の死を己の責任として丸ごと背負い込んだら検事は続けられない。別の頭で三沢はそう考えていた。

前を見たまま言った。

「俺は寝てない。お前は？」

押し殺した声が返ってきた。

「寝てません。誓って」

七階でエレベーターを降りた。

７０３号室のドアは開け放たれていた。県警の鑑識係員が数人、忙しく出入りしている。証拠採取用のビニール袋を手にしている者がいた。血染めの包丁が透けて見える。

「地検の三沢だ。入れるか」

「ええ。だいたい終わってます。一応、カバーをしてください」

手渡された靴カバーを装着し、体を起こした三沢と浮島は暗い目を合わせた。中に梨緒の死体がある。

動じてはならない。そう念じて三沢は７０３号室の沓脱ぎを跨いだ。短い廊下を抜けると十畳ほどの空間が視界に広がった。

「あっ！」

先に声を発したのは浮島だった。

「これは……！」

三沢も唸った。

信じがたい光景だった。

ワンルームのフロアに夥しい数の紙が散らばっていた。敷き詰められていると言ったほうが当たっているか。フローリングの床の大半が紙で覆い隠されている。すべてファックス用紙だ。どの紙にも殴り書きの文字が大書きされている。

〈死ね！〉

〈お前みたいな女は死んでしまえ！〉

〈死ね！　死ね！　消えちまえ！〉

その紙の絨毯の上に梨緒がいた。正座が斜めに崩れたような恰好だった。ベッドを背もたれにして両膝を床についている。両腕がだらりと垂れ下がっている。頭も垂れている。髪が顔を隠している。ブラウスの胸元が真っ赤に染まっていなかったら、うたた寝をしているように見えたかもしれない。

三沢は動転していた。痛みも嘆きもなかった。梨緒に語りかける言葉すら浮かばずにいた。

「本当に自殺なのか」

ようやく出た言葉は率直な感想だった。

その声に窓際の男が振り向いた。

L県警の倉石義男。八年も検視官をしている「死体掃除人」だ。

「誰が入っていいと言ったよ」

「な、なんだと……？」

瞬時に血が上った。警察の調査官風情が――。

「もともと検視はこっちの仕事だ。便宜上、お前らにやらせてるだけだ。忘れるなよ」

倉石がジロリとこちらを見た。

「だったらアンタが視るか」

三沢は言葉に詰まった。地検には検視班はおろか指紋を採れる人間すらいない。

「無駄口はいい。ちゃんと説明しろ。これのどこが自殺だ？」

「現場を見りゃあわかるだろう」

「見たから言ってるんだ。殺しの可能性はないのか」

「ない」

「だったらこの膨大な脅迫文は何だ？」

倉石はゆっくりと瞬きをした。

「アンタ、殺しにしたいのか」

その一言が胸を貫いた。まさかと思ったが、傍らの浮島が体を硬くしたのがわかって戦慄した。俺たちは殺しにしたがっている？　責任逃れをするために？

――馬鹿な。

三沢は思考を振り払った。恐れは完全には払拭できなかった。倉石に本心を見透かされた。無理やり炙りだされた。いや違う。県警の調査官ごときが検事室の内情を知りえる道理がない。そもそも自分は殺しであることなど望んではいないのだ。梨緒が自殺をするはずがない。そして眼前の光景は殺しの現場に見える。感じたままを口にしたまでだ。

「自殺と見立てたのならその根拠を言え」

「たとえばこいつだ」

つまらなそうに言って倉石は首を回した。視線の先には出窓に置かれた金魚鉢があった。和金が一尾、鉢の底のほうで鰓をパクパクさせている。わきにあるプラスチック容器は餌入れか。

「それがどう自殺と繋がる？」

三沢が言った時、鑑識係の若手が倉石に駆け寄った。何やら報告ごとのようだ。焦れて声を掛けると、待ての手が突き出された。

三沢は舌打ちして浮島を見た。真っ青な横顔だった。梨緒を凝視している。拳を握りしめている。その拳が微かに震えていた。

思いの深さを感じた。

三沢自身はどうか。

梨緒を正視できずにいる。目を逸らし続けている。そうしていることへの罪悪感がじわじわと胸を浸食している。

「お前、どう思う？」

浮島の返事はなかった。

「自殺か、殺しか、どっちだ？」

「……わかりません」

「脅迫文はどうみる?」

「わかりません、私には……」

車中で剥き出しにした棘は根こそぎ抜かれていた。

「普通にしてろ。倉石に勘繰られる」

そう耳打ちして三沢は荒い息を吐き出した。室内をぐるり見回す。

物の少ない部屋だ。シングルベッド。小机。ベンジャミンの鉢植え。左の棚には法律書がぎっしりと詰まっている。右の棚の上にファックス付きの電話。受信した紙が一枚、垂れ下がったまま残っていた。これにも〈死ね!〉の殴り書きがあった。

梨緒はベンジャミンのわきにいる。またしても目を逸らした。その目に熱を感じた。

倉石を見据えた。鑑識係の報告は終わったようだった。

「修習生とはいえウチの身内も同じだ。早急に検視結果を知りたい」

「いたっけな、解剖部屋に」

先週木曜の司法解剖のことを言っている。倉石もその場に立ち会っていた。

「いいから自殺の根拠を言え」

三沢は声を荒らげた。倉石は顔色一つ変えない。

「刺傷痕を見たか」

「ま、まだ……」

倉石は死体のそばで膝を折った。ブラウスの合わせ目に指を掛けて引っ張り、傷口を覗かせた。

「刃は床と平行に入ってる。しゃがんだ状態の人間を刺せば下向きの角度がつく」

三沢は一歩だけ足を踏み出した。浮島が動いた気配はなかった。

梨緒の鼻梁が目に入った。白い首筋も……。

口が勝手に動いた。

「立っていたところを刺された可能性だってあるだろう。刺された後、しゃがみ込むようにして倒れた――どうだ？」

倉石は腰を上げ、ベンジャミンの鉢植えを顎で杓った。

「葉に血痕があるか？」

目視では確認できない。

「ルミ反も陰性だ。だが――」

倉石はベンジャミンの葉を摘んで裏返した。三沢の場所からでも飛沫血痕が付着しているのがわかった。

「裏側だけだ。立って刺された線はありえねえ」

頷きかけて、だが三沢は最大の疑問に立ち戻った。

「このファックスの海はどうなんだ？　誰かが斎田を刺殺した後、ばら蒔いたんじゃないのか」

「節穴か。よく見ろ。紙は体の下、血痕は紙の上だ。この女が自分でばら蒔いてから胸を突いたんだ」

三沢はぎょっとした。

「自分で……？」

「ばら蒔いただけじゃねえ。ファックスをここに送りつけたのもおそらく本人だ」

「えっ……？」

「簡単だろう。コンビニか、そうでなけりゃ検事室からでもいい」

空転した頭に倉石の声が響く。

「いま筆跡をやらせている。電話の記録もだ。早晩結果が出る」

「ちょっと待て」

三沢の声は上擦った。

「なぜ斎田がそんなことをする？　脅迫文を自分に送りつけた？　そんな馬鹿げた話を誰が信じる！」

「信じる信じないは勝手だ」

「勝手だと？　この野郎、いい加減なことを言いやがって！」

「解離性同一性障害……」

呟いたのは浮島だった。目が見開かれている。

すぐには頭に入ってこなかった。解離性同一性障害――。

「きっとそうです。斎田は多重人格だった……。そんな気がします。彼女にならそんなことが起こってもおかしくない」

すとん、と腑に落ちた。

三沢は殴り書きのファックスに目を落とした。この荒々しさはどうだ。悪意に満ちた毒々しさはどうだ。もしこれを梨緒が書いたと言うなら、彼女とは異なる、彼女とは別の人格が書かせた。そうとでも考えねば説明がつかない。

幼い頃、叔父に性的虐待を受けた。苦痛を回避するために梨緒は自分の心の中に別の人格を作り上げた。その人格に忌まわしい記憶を受け渡した。だが――。

三沢はもう一度ファックスの殴り書きを見た。

新たに生まれた人格は「男」だったのではあるまいか。「男を裁く」と誓って判事を目指した梨緒の心の中で「男」が育っていた。そうだとするなら皮肉と言うほかない。その「男」が発現して梨緒を襲った。「女」を駆逐した。おそらく強姦男と大井の司法解剖に触発されて。

三沢は首を垂れた。

「殺しだ。斎田は自分の中の『男』に殺されちまったんだ」

「自殺だ」

　倉石が駄目押しするように言った。

　怒りが再燃した。

「ああ、形の上ではそうだ。書類上もそうなる。だが斎田は死にたくて死んだんじゃない。『男』に乗っ取られた手で自分の胸に包丁を突き立てたんだ。それぐらいは認めろ」

　倉石は鼻で笑った。

「多重人格っていうのは体の奪い合いだ。その体を殺しちまったら元も子もないだろうが」

　三沢は目を剝いた。

「お前に何がわかる。彼女の生きてきた世界は修羅場そのものだ。二つの人格が退《の》っぴきならないところまで凌ぎを削り、行き着くところまで行ってしまった。魂も体も崩壊させてしまった。俺はそう思う」

「なにも多重の人間に限ったことじゃねえだろう。普段は攪拌されてるからわからねえが、誰だって幾つもの人格をやりくりしながらなんとか生きてるんだ」

「お前、斎田は多重人格じゃなかったって言いたいのか」

「ないことをあったかのようにでっち上げるのは死者への冒瀆ってもんだ」

　三沢は沸騰した。

「冒瀆してるのはお前のほうだろう！　斎田の何を知ってる！　俺たちにわからないことが

なぜお前にわかる！」

「少なくとも、胸に包丁を突き刺したのはアンタらの言う『男』じゃなく、女自身だったってことは確かだ」

「端的に言え！　根拠は何だ！」

倉石は首を回して金魚鉢を見やった。

「見てみろ。人も魚も満ち足りてる時のツラはよく似てやがる」

「ふざけるな！　言え！　なぜ『男』が刺したんじゃないと言い切れる！」

倉石は窓際へ歩いた。プラスチック容器の蓋を開け、中の乾燥ミジンコをひと摘みして金魚鉢に落とした。

「おい——」

「黙ってろ」

ミジンコが煙のように広がりながら、ゆっくりと水中に沈んでいく。和金の目の前に達した。口が開いてスッと餌を吸い込み、だが、その大半を吐き出した。

倉石が振り向いた。

「見たか」

「それがどうした？　腹が一杯なだけだろう」

「そういうことだ。女は死ぬ前に餌をやった。自分は死ぬと決めていたから、いつもより多くやったんだろう」

「だから何だ？」

まだわからねえのか、の顔で倉石が続けた。

「アンタらの言う『男』とやらは、こういうことに気が回るのかよ」

「あ……」

視界がふっと暗くなった。

姿が見えた気がした。金魚に餌をやる姿だ。腰を屈め、悲しげな目で金魚を見つめる梨緒の姿——。

三沢は天井を仰いだ。

「男」は存在しなかった。梨緒は梨緒のまま自分を殺した。

そうだった。彼女は叔父から受けた性的虐待を記憶していたではないか。苦痛を託せる別の人格など最初から存在していなかったのだ。

いや待て。

「脅迫ファックスの説明がつかない」

浮島が言った。それは三沢の疑問を代弁していた。

「調査官、説明してくれ。この悪質な脅迫文を書いたのも送りつけたのも『男』じゃなく、斎田自身だって言うのか」

仕事を忘れた口ぶりだった。

「そうだ」

「わからない。斎田はなぜこんなことを」

「偽装だ」

「殺しに見せかけようとした？」

「ああ」

「自殺を殺しに化けさせてどうなる？　斎田が誰かを陥れようとしたとでも言うのか」

三沢は血の気が引くのを感じた。まさか俺たちを……。

「そうじゃねえ。自分を騙すための偽装だ」

「自分を騙す……？」

「男にやられたことにしたかった。形だけでも男を憎みながら逝きたかったんだろうよ」

倉石は梨緒の死体を見た。

「この女は男を憎んでいたわけじゃない。殺したいほど憎んでいたのは女だ——自分自身ってことだ」

浮島の瞬きが止まった。三沢もそうだった。

倉石の視線は梨緒に留まっていた。

「解剖を見つめる目が忘れられねえ。早くやれ。切り刻め。そう言ってやがった。女の体を嫌悪していた。汚らわしく許しがたいモノ。あの女の目にはそう映っていたってことだ」

やる瀬ねえ。一瞬そんな表情を見せて倉石は部屋を出ていった。

後には三沢と浮島の惚け顔が残された。

女を憎み、自分を憎んでいた。だから女である自分を殺した……。

三沢は唇を噛んだ。

性的虐待。レイプ。己の落ち度だと思ったのだ。汚らわしい行為を招き寄せた自分こそが汚らわしいのだと思い込んでしまったのだ。ずっと自分を責め続けてきた。自分の中の「女」を憎み続けてきた。

理不尽なことはわかっていた。梨緒は男を憎もうともがいた。過去を打ち負かそうと懸命だった。「男を裁く」と意を決して自分を奮い立たせた。そうすることで清廉であろうとした。幾重にも鎧を纏い、判事への道を切り開いてきた。だが――。

強姦男が鎧を引き剝がした。解剖台の前で己の本性を見つめてしまった。

女しか裁けない。

絶望。それが自殺の動機だ。

だがわからない。それでも理解できない。梨緒の原点が。彼女が自らを滅ぼしてしまうほど「女」を憎悪するに至った道筋が。

梨緒はまだ何かを隠していた。秘密を持っていた。その秘密を抱きしめて、ひとりこの世を去った。そんな気がしてならない。

「浮島」

「……はい」

「お前、斎田から何を聞かされた？」

「あれだけです。車の中で話したことがすべてです」

浮島は目頭に手を当て、だが何かに思い当たった顔になって「あ……」と発した。

「どうした？」

「声が聞こえる——そう言ったことがありました」

「声？　どんな？」

「それは言いませんでした」

「……幻聴ってことか」

「わかりません」

「斎田はなぜ死んだ？」

「男は裁けない……。そう思い知ってしまったんでしょう」

三沢は頷いた。

「俺たちが殺したんだ」

「そうです。その通りです」

涙声だった。

三沢は出窓の金魚鉢を見た。

解剖室で倉石の観察眼が捉えていたのは梨緒の表情だけではなかったろう。梨緒の様子を固唾を呑んで窺う三沢もいた。そして今日、梨緒の死体を前にした三沢と浮島の姿は彼の目にどう映ったか。

罪に問われることはない。だが……。

刑事と鑑識係員が部屋に入ってきた。遺体を運び出すのだ。

幾つもの手で担架にのせられた。髪が張りついていて、最後まで顔は見えなかった。彼女がそう望んだような気がした。

悔恨が胸を締めつけた。

〈声が聞こえる――〉

梨緒は何を隠していたのか。

聞き出してやればよかった。上司として、大人の男として、しっかりと苦悩を受け止めてやればよかった。

浮島が洟《はな》を啜《すす》った。

三沢は手を合わせた。最後は目を逸らさなかった。

毛布で覆われた梨緒が、いま部屋を出た。

——馬鹿ね。

梨緒は自分を叱った。

見供の視線に「叔父の癖」を見た。一瞬そんな気がしたのだが思い過ごしだった。見供の眼差しは優しかった。幾ら見つめていても飽きない。見供と叔父を重ね合わせるなんてどうかしている。

4

「梨緒ちゃん、ちょっとお手伝いをしてもらえないだろうか」

見供がそう言いだしたのは、二杯目の紅茶を飲み終えた時だった。

「お手伝い？」

梨緒は目を輝かせた。

「うん、蔵書の整理なんだけど」

「ぜひやらせて下さい」

「いい？」

「もちろんです。お役に立てるなら」

「助かるなあ、じゃあ、こっちなんだけど——」

二人は一旦和室に戻り、そこから縁側に出て、年季の入ったサンダルをカラカラ鳴らしなが犬走りを回った。手入れのゆき届いた中庭を横切ると、敷地の奥に茶室があって、さらにその奥まったところにコンクリート造りのこぢんまりとした平屋の建物があった。

「はい、ここがウチの図書館」

見供が茶目っ気たっぷりに言った。

「図書館ですかあ」

梨緒も明るく受けたが、見供が扉を開いた途端、スッと笑みが引いた。

地下への階段が延びていた。

「驚いたかな？　本は地下室なんだ」

「あ、いえ。大丈夫です」

「じゃあ、足元に気をつけてね」

見供がとんとん下りていくので、躊躇する間もなく梨緒も入口にサンダルを乱して後に続いた。薄暗い。それに階段はひどく急だった。

地下室は板張りで二十畳ほどの広さがあった。中央にソファとテーブルが置かれ、壁の三つの面が作り付けの本棚だった。いったいどれぐらいの数の本があるのやら見当もつかない。それをぐるり見回した時だった。梨緒は襟足に冷たい汗が浮くのを感じた。微かだが、乗り物酔いでもしたかのような嘔吐感が這い上がってきた。

——やだ、どうしよう。

梨緒は困惑した。

見供は本棚に手を伸ばしている。外に出たい気分だが、言いだせば見供が気を悪くするかもしれない。

我慢するうち、気持ちの悪さに目眩が重なった。頭の芯が痺れていく。

気配に気づいたのか、見供が突然振り向いた。

「どうしたの？」

「すみません。ちょっと気分が悪くて……」

梨緒はソファに向けて足を踏みだしたが、大きくバランスを崩し、危ういところで見供が抱きとめた。

大きくて暖かい胸だった。

――ウソ。こんなの……。

梨緒は息を潜めた。

予定外のハプニングだった。「先生」に会った時のことをあれこれ想像してはみた。話が合うだろうか、気に入ってもらえるだろうか、恋愛の対象になれるだろうか……。けれども初めて会って、その胸に抱かれるなどとは考えてもみなかった。

「大丈夫かい？」

「ええ……」

目眩が何か別の心地好いものへと変化していきそうだった。

でも……。

早過ぎる。梨緒の脳はそう警告を発していた。

あと五秒だけ。

梨緒はその五秒を何度か繰り返してから、懸命に理性を振り絞り、見供の体を押し返そうと両腕を突っ張った。だが——。

体は離れなかった。梨緒の背に回された見供の腕に、逆に力がこもった。それは徐々に強まって、「抱く」というより「締めつける」に近づいていった。予想外の強い力。愛情などとは無縁の、何かもっと他の悪意にも似た力が——。

心ときめいた抱擁が苦痛に急転した。

「いやっ……」

梨緒の消え入りそうな悲鳴は、その場になんの変化ももたらさなかった。背の一点に集中した力はますます強まり、梨緒の体がそこを支点に大きく反り返る。

苦痛が恐怖に変わった。

梨緒はもがきながら見供の顔を見上げ、息を呑んだ。

叔父の目が見下ろしていた。

「抱いてやるよ」

澱みのある声が部屋に響いた。

「やっ、助けて」

「してほしくて来たんだろう？　まったく物欲しそうな顔しやがって」

「どうして？　いやあ！」

見供が歯茎を剝き出して笑った。

「親が死んだことまで利用しやがって。みえみえなんだよ。同情を買ってオレに取り入ろうっていうメス犬根性がよ」

「そ、そんなこと——」

背を圧迫していた力が消えた。そう感じた途端、梨緒の体はひどく乱暴に床へ突き倒された。大きな体が伸《の》しかかってきた。馬乗りになり、膝で梨緒の脇腹を押さえつけ、ブラウスの胸元を摑んで切り裂いた。

梨緒は絶叫した。

泣きながら叫んだ。だが体は抵抗の術《すべ》を失っていた。

「やっ、お願い。やっ」

「うるせえ！」

無抵抗に近い梨緒を見供は平手打ちにした。

梨緒は目を見開いたまま動きを止めた。手も足も動かない。恐怖で金縛り状態に陥った。

服が脱がされていく。

体を開かれた。

目を閉じたかった。せめてそうしたかった。

見供が覆い被さってきた。目だけではなく、その顔はすっかり叔父の顔に変わっていた。

ネックレスが引きちぎられた。真珠がザーッと音を立てて床を走った。母の形身——。

その時だった。叔父の顔がゆらりと変化した。梨緒は悲鳴にならない悲鳴を発した。

父の顔だった。

額に汗を光らせた父が、真っ赤な顔をして梨緒を見下ろしていた。

母の声がした。

〈怖い子だよ。本当にこの子は恐ろしい子だ〉

母の目が梨緒を睨み付けていた。野良猫を見るような目だった。

そうなの……？

私のせい……？

私が悪いの……？

不意に真相が見えた。

きっとそうだ。

母が父を殺した。

母はわざとハンドルを切り、対向車線に飛び出した——。

梨緒は思い出した。葬式の日のことを。

二つ並んだ白い柩……。

ホッとした思い……。

ふっ、ふっ、ふっと湧き上がってくる喜び……。

見供の唸り声が耳鳴りに呑まれた。

別の声が聞こえた。

自分の声だった。

〈死ね。お前みたいな女は早く死んじまえ！　死ね！　死ね！　消えてなくなれ！〉

真夜中の調書

1

「中央銀座通り」には、まだちらほらと主婦の買物姿があった。

約束の午後七時には少し早かったが、佐倉鎮夫《さくらしずお》は足取り軽く雑居ビルの階段を上がり、スナック「猫」のドアを押し開いた。一つ大きなヤマを片づけて飲みに出る。この飛び切りの解放感は、四十を過ぎたからといって、いささかも減じることがない。

店内はファミレス並みに明るかった。カウンター席の真ん中辺りに、ふくよかな美鈴ママの後ろ姿があった。口紅を手にコンパクトを覗き込んでいる。その鏡の角度がスッと変わり、付け睫のない細い目が佐倉を見た。

「あらら、佐倉チャン、ずいぶん早いじゃんかあ」

佐倉は苦笑した。

もう二十年以上も前のことだから時効に違いないが、筆下ろしをしてもらったベッドの中で同じ台詞を吹かれた。当時の美鈴は頬の赤いニューフェイスに目がなくて、佐倉が知っているだけでも、L県警の刑事に四人の「兄弟」がいる。

佐倉は美鈴の隣の椅子に尻を乗せ、鏡張りの狭い店内を見回した。三つしかないボックス席も空っぽだ。

「誰か来んの？」

「うん。北沢と待ち合わせてる」

「山奥の金盛署から？」

「いや、科捜研のほうの北沢」

佐倉の出た高校の遥か後輩にあたる。今回の「教諭殺し」ではDNA鑑定で世話になったので、夕方誘いの電話を入れた。向こうも何か話があるようなことをボソボソ言っていた。

さては好きな女でもできたか──。

「科捜研に北沢なんていたっけ？」

「若い技官だよ。前に何度か連れてきたろう？」

「ああ、はいはい、思い出した。あの耳のおっきいメガネ君ね」

喋りながら手早く化粧を済ませると、美鈴は壁に手を伸ばして照明を営業用のルクスに落とした。見知らぬ五十女が見慣れたママの顔になる。途端に真っ赤な唇が開いた。

「それよか、佐倉チャン！　お手柄だったじゃんかあ、東部団地の先生殺し！」

「ん。ああ」

「課の連中、言ってたよ。ホシはきっちり黙秘してたのに、佐倉チャンが粘りに粘ってウタわせた、って」

「いや、そんなんじゃないさ」

「そんなことあるさあ。神田チャンだって褒めてたもん」

満更でもなかった。神田は中央署の刑事一課長で佐倉の直属の上司だ。

「でもさあ――」

言いながら美鈴はカウンターの向こう側に回った。胸の前に垂れた虹色のスカーフを肩の後ろに送り、サッと手を洗って冷蔵庫から氷の塊を取り出した。

「佐倉チャンも最初は楽勝だと思ったろ？　なんせ、あっと言う間のスピード逮捕だったじゃんか」

「ああ、そう思ったよ」

ここ中央市の東部団地で、二十九歳の高校教諭、比良沢富男《ひらさわとみお》が絞殺されたのは二週間前の今日だった。犯人は五十二歳の元ホテルマン、深見忠明《ふかみただあき》。真夜中に物盗り目的で比良沢宅に忍び込み、目を覚ました富男と格闘の末、ネクタイで絞め殺した。慌てて戸外に逃れたが、隣家の人間に見つかって一一〇番され、ママが言ったように、わずか三十分後に団地内で警邏隊員に取り押さえられた。

「袋のネズミだったんだって？　鼻血押さえながら線路沿いの物置の陰でちっちゃくなってたって聞いたよ」

「そうそう。団地の東側は線路の金網で行き止まりだからね」

「間抜けな男だね。西に逃げればよかったのに」

美鈴は悪しざまに言って、ガツッ、ガツッ、と氷にアイスピックを突き立てた。

「けど、次の日、あたしゃ青くなったよ。すぐ捕まったって聞いて安心してたのに、八時になっても九時になっても誰も顔出さなかったろ。青木クンの誕生パーティーが入ってたのにさあ。で、テレビのニュース見たら、犯人がやってませんって言ったきり黙秘したっていうじゃんか。もう腹が立つやら悔しいやらで、並べたご馳走、一人でヤケ食いしちゃったんだから」

佐倉は同情顔を作って頷いた。

この店は中央署刑事一課への依存度が極めて高い。去年起きたＯＬ殺人の捜査が難航した時には一週間連続で客がゼロという惨状となり、美鈴は本気で店を畳もうと考えたという。罪滅ぼしではないが、事件解決後しばらくの間は、みんなでせっせと通って金を落とした。義理だけではない。こっちだって保秘を気にせず何でも喋れる「刑事の店」が一朝一夕に作れないことは百も承知だ。

美鈴は爪先立ち、棚に手を伸ばしてボトルの首を摑んだ。背中で愚痴を続ける。

「だからね、犯人を追っかけ回してるっていうんなら、あたしも我慢の子でいるさ。でも今回はさあ、犯人が捕まってるのにみんな来ないからショックだったわけ」

「まあ、色々あってさ」

「知ってるよ。湯浅って弁護士のせいなんだろ？　どんな犯人にでも黙秘しろって知恵をつけるらしいじゃないか」

「そういうこと。たまたまあの日の当番弁護士だったんだ」

「まったく営業妨害で訴えてやりたいよ。けどまあ、佐倉チャンが一週間で自白させてくれたんで助かった。ホント、一時はどうなるかと思ったもん。ご苦労様。はい、これあたしの奢り」

コロッと陽性に転じた語尾とともに水割りのグラスが差し出された。

佐倉が礼を言ってグラスを口元に運ぶと、美鈴は豆菓子とえびせんを皿に散らしながら溜め息をついた。

「けどさ、これで比良沢の家も終わりだね。県議さんはホステスのマンションで腹上死するわ、息子は強盗に殺されちまうわ。呪われてるよねえ、まるっきりケネディ家みたいじゃんか」

佐倉は歯を見せた。

「ママ、一緒にしたらケネディが泣くぜ。親父は自業自得だし、息子の富男だって先生のくせにひでえ女ったらしだったって話だからな」

「そっくりじゃんか、そういうとこ」

「ああ、まあな」

「でも比良沢って言えば、やっぱ名門さあ。うーんと昔だけど、お爺さんは三期も市長やったんだよ」

「知ってるさ。俺が小学生の頃は比良沢市長だった」

美鈴は薄い水割りを手にカウンター席に戻ってきた。

「そんで、犯人のほうはどういうやつだったのさ？　独りモンだって新聞に書いてあったけど」

「うん。深見は二十年以上も前に離婚してる」

「理由は？」

「女房の浮気さ」

「へえ！」

美鈴は素っ頓狂な声を上げた。瞳は好奇の色に染まっている。

「奥さん、駆け落ちでもしちゃったん？」

「いや、息子の血液型が合わなくて、それでバレたんだ」

「へえ！」

声はさっきの倍ほど大きかった。

「深見が結婚したのがちょうど三十年前。翌年、長男が生まれて、で、小学校に上がる時に血液型を調べたんだと。深見がB、女房がO、ところが息子はAだった」

「ああ、そりゃあダメだね」

美鈴が吐き捨てるように言った時、背後のドアが開く音がした。佐倉は笑みを向けたが、入ってきたのはウイスキーの木箱を肩に背負った業者だった。美鈴が「ご苦労さま」と声を掛け、伝票にサインする。

佐倉は腕時計に目を落とした。七時二十分。「教諭殺し」が挙がった今、県下に科捜研を残業させるような重要事件はないはずだが。

「しっかし、度量の狭い男だね」

美鈴は怒ったように言って佐倉のグラスを引き寄せた。お代わりをつくる。

「何が？」

「小学校に上がる前って言やあ、一番可愛い盛りじゃんか。すべて腹に収めて育ててやりゃあいいのにさ」

「そうかあ？　そいつは無理だろう」

佐倉が深見の立場なら、やはり女房を許さないだろうと思う。

「で？　離婚して、それから深見はどうしたのさ」

「ずっとＡＳ観光の社員さ。出世は課長止まりで一昨年まで駅前のＡＳホテルでフロントマンのチーフをやってた」

「女っ気は？」

「何人か付き合ったりはしたらしい。同棲した女もいたが結婚まではいかなかった。結局のところ、独り身でいたことがリストラの理由になっちまった。社長に直接言われたんだそうだ。君は背負ってるものが何もないんだから辞めてくれ、ってな」

「なるほどね」

美鈴の受け答えに同情の響きはなかった。

佐倉は続けた。

「クビになった時、もう五十だったからな、再就職口は見つからず、いっときはホームレスみたいな生活をしてたらしいよ」

「それでもって金に困って泥棒に落ちぶれましたとさ、めでたしめでたし」

「冷てえなあ、ママは」

「やっぱり、あれかい？　比良沢家に入ったのは金がありそうな家だからってこと？」

「ああ、もちろんそうなんだけど、もともと深見は土地カンがあったんだ。団地に別れた女房の実家があるからな」

「なんだ、そうなんかあ」

　美鈴は詰まらなそうな声をだし、が、何やら思い当たった顔になって佐倉を見た。

「おかしいじゃんか」

「あ？　何が？」

「じゃあ何で東に逃げたのさあ。線路で行き止まりだって知ってたんだろ？」

「パニくってたって言ってたよ、深見は。比良沢の家から飛び出た途端、西側の家の窓が開いて女の顔が見えたんだそうだ。咄嗟に反対の東へ駆けだした。しばらくして我に返ったがいまさら怖くて引き返せない。で、慌てて隠れる場所を探した——どうだい？」

　美鈴は口を突き出した。

「なーんか、しっくりこないね。そういう時ってのは動物的カンみたいのが働くんじゃないの？　あたしだったら危ないほうへ逃げたりしないと思うけどね」

　佐倉は破顔した。

「ママがホシだったら、こっちもお手上げだ」

「まあいいや」

　美鈴は三杯目の水割りをつくり、意味ありげな笑みを浮かべた。

「佐倉チャン、そろそろ話しなよ。どうやって黙秘してた深見を落としたのさあ」

　血腥《ちなまぐさ》い仕事の話は家に持ち込みたくない。かといって同僚相手に手柄話をすれば鼻摘み者にされるし、記者に自慢かたがた漏らした日には組織の魔女狩りに遭う。そこら辺りの事情を知り尽くしている美鈴は、だから興味と「営業」とが半々の顔だ。

「勝手に落ちたのさ。俺はなんにもしてないよ」

「またまたあ」

「ホントだって。なにしろ初っ端《しょっぱな》、私は誰も殺していませんって言ったきり、こっちが怒鳴ろうが賺《すか》そうが仏像みたいに無反応だったんだ。実際のところ鑑識勝負の事件だったってことさ」

「ふーん、じゃあ、なんか決定的なブツが出たわけ？」

「最初はからきしだった。現場は比良沢富男の自室。一階の八畳間だった。指紋は富男のものの他に二十三種類採れたが、深見の十指と合うのはなかった。毛髪も一致しない。血痕はたくさんあった。でも富男も鼻や口からかなり出血してたからな、見た目じゃ富男のだか深見の鼻血だか判別できないわけさ」

「ひょっとして、二人して血液型が同じだったとか？」

「いや、深見はさっき言ったようにB型。富男はA型だった」

「なら、調べりゃすぐどっちの血だかわかるじゃんか」

「俺もそう思ったよ。けどダメだった。上がってくる鑑定結果はどれもA型で、深見のB型は一つも出てこなかったんだ」

「どういうことさ？　部屋に鼻血を垂らさなかったってことかい？」

「そういう結論になりかけた。ところが――」

佐倉はグラスを上げて水割りを口に含んだ。

美鈴が焦れったそうに膝を詰めてくる。

「ほらあ、もったいつけるんじゃないよ。ところが何さ？」

「ＤＮＡで引っ掛かったんだ。比較的大きめの血痕は血液鑑定じゃなく、ＤＮＡ鑑定のほうに回してた。そのうちの一つが深見の型と一致した」

美鈴は目を丸くした。

「型？　ＤＮＡも型とかあるわけ？」

「知らなかったろ。俺も初めて知ったんだ。それが凄いのなんのって。ＡＢＯ式の血液型は四種類だけだろ。ＤＮＡはなんと四百三十五種類。それが深見の型と一致した。しかも、その型は約百万人に一人しかいない種類だったんだ」

美鈴はこの日一番の「へえ！」を発した。

佐倉は満足顔で続けた。

「Ｌ県の人口はだいたい二百八十万人だ。だから俺は深見にこう言った――県内に三人といない型のＤＮＡが殺害現場の床に残され、同じ型の人間がその家から飛び出した。これを別人だと認定する裁判官がいると思うか、ってな」

「カッコいい！」

美鈴は手を叩き、そして声を潜めた。

「で？」

「深見は目を閉じた。きっかり三十分後にその目を開けた。一週間の沈黙を破り、すみません、私がやりました。そう言った」

「やっぱ、佐倉チャンのお手柄じゃん！」

「だから、そうじゃないって言ってるだろ。ＤＮＡ様サマさ」

「ううん、違うよ。佐倉チャンのぶつけた台詞が良かったんだよ。誰だって落ちるね。あたしが保証するよ」

美鈴は音のしそうなウインクをして、佐倉のグラスにボトルを傾けた。

アルコールも回り、佐倉は愉快でならなかった。

科捜研の北沢のお蔭だ。おいしい仕事をさせてもらったと思う。それだけではない。北沢の手柄とわかっていながら、神田課長が佐倉のことを褒めていたという話が嬉しかった。半年前、佐倉の手下《てか》である青木を他署に出すと言い放った神田に、青木を出すなら俺も出せと大見得を切った。以来、神田との関係はギクシャクしていたのだが、今回の事件を機に神田のほうが折れたということだ。佐倉に伝わることを計算してママの前で褒め言葉を口にした。思えば、スナック「猫」は、こうしてどれだけの人間関係を修復してきたろう。

「ねえねえ――」

美鈴はいつの間にかカウンターの中にいた。

「あたし、新聞読んで一つ気になってたんだけどさ、パクられた時、深見がプラスチック容器を持ってたって書いてあったじゃんかあ。あれ、いったい何さ？」

「ああ……」

フィルムケースをひと回りスリムにしたような半透明の容器だった。

「そいつがわからないんだ。深見は拾ったって言ってる」

「て言うか、何に使うモン？」

「それもわからない。薬とか入れる携帯ケースじゃないかって言ってたやつはいたけどな」

「なるほどね、言われてみればそうかも」

美鈴は有線放送のスイッチを捻った。演歌の間奏らしきメロディーが四方から溢れ出す。

「メガネ君は歌うんだっけ？」

「やつは『モー娘。』専門さ」

「じゃあ、今夜はたっぷり飲ませて歌わそう」

「そのつもりで呼んだんだ。えーと……」

「八時過ぎたとこ。電話してみる？」

「うん」

佐倉が懐から携帯を取り出すと、その携帯が震えていた。

《あ、北沢です。遅くなってすみません。いま本部を出たので十五分で行きます》
「ママがおかんむりだぜ。こんな時間まで何してたんだ？」
《それが……》
　北沢の声がくぐもった。
《検視官の倉石警視がウチの所長のところへ電話を寄越したんです。それでゴタゴタしまして。例の教諭殺しに関係することなんで、着いたら詳しく話します》

2

　酔いはどこかへ飛んでいた。

　佐倉と北沢は奥のボックス席で額を突き合わせた。

「倉石警視は何て言ってきたんだ？」

「電話でひと言、ＤＮＡをちゃんとやれ、と」

「ちゃんとやれ……。どういう意味だ？　ちゃんとやったんだろう？」

　佐倉は眉を寄せ、分厚い眼鏡レンズの奥を覗き見た。

　北沢は気色ばんだ。

「もちろん、ちゃんとやりました。縦列型反復配列多型――ＤＮＡのＭＣＴ１１８と呼ばれる部分を大量に複製して鑑定する方法です。１１８はたんぱくを作らない無意味な遺伝子で、個体差が激しい場所なので個人識別に極めて有効です」

「それは前に聞いた。結果は四百三十五種類のうちの一つで百万人に一人の型だった。そいつが深見忠明の型と一致した――この点に間違いはないんだな？」

「間違いありません」

北沢の大きな耳は真っ赤だった。

佐倉は一拍置いて言った。

「じゃあ、なぜ倉石警視は、ちゃんとやれだなんて言ってきたんだ？」

「わかりません」

「わからない？　お前んところの所長は聞き返さなかったのか」

「怒って電話を切ってしまったんです」

「所長がか？」

「ええ。高飛車に言われて頭に血が昇ったようです。こちらは一般職ですが、所長ポストは参事官級ですし」

佐倉は頷いた。検視官の調査官級より格上だ。それに科捜研の面々は、本官とはまた別の、研究者としてのプライドを胸に秘めている。

「電話を切った後、所長は刑事部長に直接聞きに行きました。ところが田崎部長は何も知らなかったんです」

「要するに、検視官の独断で科捜研に電話を入れたってことだな？」

「そうみたいです。で、刑事部の人が検視官の携帯を呼んだんですが、デスクの引き出しの中で鳴ったとか言ってました」

「官舎は？」

「電話は誰もでないので、人を差し向けましたが不在でした。毎晩のように飲みに出るらしくて、そうなると次々河岸《かし》を変えるのでつかまらないそうです」

佐倉は短い息を吐き出し、深く腕を組んだ。

「で、科捜研的にはどういう結論になったんだ？」

「明日検視官に聞こう、ということで解散しました」

佐倉は拍子抜けした。その辺りの割り切りの良さはいかにも研究者らしい。

美鈴ママがつまみを運んできた。

「大変かい？」

「いや、どうってことないさ」

軽く受け答えをしたつもりが少々荒い語調になった。美鈴には内面を見透かされたろう。

佐倉は北沢を見た。

「お前はどう思うんだ？」

「えっ？」

「検視官の言葉の意味だよ。ＤＮＡ鑑定をやり直せってことか」

「それはないと思いますが。ただ……」

「ただ何だ?」

「もしあるとするなら、別の鑑定方法も試せということかもしれません」

佐倉は少なからず驚いた。

「他にも方法があるのか」

「ええ。ＤＮＡのＨＬＡＤＱαの部分の鑑定や、警察庁の科警研ならＴＨ０１という方法も行えます」

「わかるように話せ。幾つもやれば精度が増すってことだな?」

「そういうことです」

「なぜ今回やらなかった?」

「それは……ＭＣＴ１１８をやった後、鑑識から試料が回ってきませんので」

百万人に一人の確率。ＭＣＴ１１８で決定的な鑑定結果が出たからだ。その直後に深見忠明が全面自供し、捜査陣の緊張が一気に緩んだのも事実だった。

深見が本ボシ――佐倉の確信は揺るがなかった。どれほど科学捜査が進展しようとも、自白が「証拠の王様」であることに変わりはないのだ。誘導も恫喝もしていない。ＤＮＡ鑑定の結果を伝え、それを聞いた深見が自らの意思で自白した。これほど「堅《かた》い事件」はそうはない。調書も順調に取れている。来週には地検が起訴し、深見は公判廷に立つ。

だが……。

DNAをちゃんとやれ。

それが倉石の台詞でなかったら鼻で笑って聞き流している。

L県警の中にあって倉石は極めて特殊な存在だ。『終身検視官』『死体掃除人』『クライシス・クライシ』など数々の異名を持ち、やくざのごとき風貌と辛辣な物言いで周囲に睨みをきかせている。上に疎んじられている半面、若手には信奉者が多い。「倉石学校」と称して彼を担ぐ「生徒」は、鑑識の人間のみならず、刑事の中にも少なくないのだ。

幸か不幸か、佐倉はこれまで倉石と深い付き合いをする機会がなかった。こちらから避けてきたと言ったほうが当たっているか。生理的に受け付けないタイプの男だ。実相はわからないが、肥大化したイメージに懐疑的な視線を向けるのは刑事の習性と言っていい。

「北沢――お前も倉石学校の生徒なのか」

「あ、いえ、私は……」

北沢は口ごもった。

「踏み絵を踏ましてるわけじゃない。正直に言え」

「何度か飲みに連れていってもらったことはありますが、それだけです」

「心酔してるわけじゃないんだな？」

「科捜研は事件現場に出向くことは滅多にありませんから。他の人はみんな、現場で倉石検視官の凄さを知るらしいです」

　現場で凄さを知る……。

　急に落ちつかない気分になった。佐倉自身、嫌というほど現場を踏んできたからだ。現場では、そこに臨場したすべての人間が己の経験と眼力を傾注して手掛かりを探る。誰か一人が特別な発見を連発することなど常識的にはありえないのだ。一定の年輪を経た刑事や鑑識員の眼力にさしたる差はない。それが佐倉の考えだった。だがもし、他の者たちとは異質な「眼」を持つ人間が存在するのだとしたら――。

　佐倉は身震いした。

　DNAをちゃんとやれ。

　何らかの結論があって言ったことに思えてきた。

　深見忠明が本ボシでないことを証明するためにDNAをやれ――。

　すぐさま打ち消した。佐倉は言葉の他の意味を探した。額に脂汗が滲んだ。ない。いくら考えても浮かばない。やはり倉石は深見を「シロ」と踏んでいる。そうでなければ出てこない台詞なのだ。

　知らずに立ち上がっていた。

「北沢――検視官の河岸を教えろ」

「えっ？」

「追いかけてみる。今日中にどうしても話を聞きたい」

「わかりました。案内します」

腰を上げた北沢を手で制した。

「お前はいい。一対一で話したいんだ」

「倉石と会うんかい？」

振り向くと、美鈴が腕組みをして立っていた。顔が強張っている。

「ママ、知ってるのか」

「昔、何度か来たことがあるんだ。あいつの目は怖いよ。初めて会った時さ、あたし、素っ裸にされたような気がしたもん」

3

スナック「かくれんぼ」は、その名が示す通り、入り組んだ路地を分け入った奥にあった。

佐倉は黒扉の前で気後れを感じた。刑事と鑑識が一緒に飲む店は幾つもあるが、「猫」が「刑事の店」であるように、「かくれんぼ」は純然たる「鑑識の店」だ。酔った勢いで二、三度、足を踏み入れたものの、どうにも尻が落ちつかなかった記憶がある。

「あーら、珍しいお顔だこと」

明美ママの名前ぐらいは覚えていた。口紅よりも赤いドレスをひらひらさせてドアのところまで出迎えに来た。

「猫」と似た造りの店内には、七、八人の鑑識の顔があった。カラオケで盛り上がっているさなかだったが、佐倉の入店に気づいて身を固くする若い者もいた。ただのヒラ刑事ではない。県都を護《まも》る中央署刑事一課の強行犯捜査係長だ。

首を伸ばして店内を見回したが倉石の顔はない。

「倉石さんは寄らなかったかい？」

明美の耳元で言った時、正面のトイレのドアが開いて見慣れた丸顔が現れた。同期の岡嶋だ。現在は本部機動鑑識班の副班長を務めている。

「よう、こんなところで何やってるんだ？」

向こうから声を掛けてきた。

「校長に御用だそうよ」

気取った声で明美が取りなす。

「惜しかったわよねえ。たった五分前までいらしたのに」

「そうなのか？」

佐倉が聞くと、岡嶋は「まあ座れよ」と腕を引いたが、足がもつれて佐倉を道連れにボックス席のソファに転がった。かなり酔っている。

強引に肩を組まれた。

「校長に何の用だって？」

「用ってわけじゃないが、ちょっと聞きたいことがあってな」

「先生殺しか？」

「まあ、そんなところだ。どこに行ったかわかるか」

「深見はシロだ。そう言ってたぜ」

佐倉は岡嶋の目を見た。まだ正気が残っている。

「それ本当か？」

怯えを含んだ声になった。

「最初っから校長は半分シロだと思ってたみたいだ。深見がパクられた時、近いうちにパイになる、って言ってたからな」

シロだから釈放される。倉石はそう高を括っていたということか。

「さっぱりわからん。なぜシロだと言えるんだ」

「深見の野郎が東へ逃げたからだろ」

肩の力がスッと抜けるのを感じた。それがシロの根拠？

「美鈴ママもそう言ってたぜ」

「ああ、あのママは天才だ。校長と通じるところがある」

「くだらん。現場からは百万人に一人のＤＮＡが出てるんだぜ」

憤慨しつつ、胸には安堵の思いが湧き上がっていた。

「でもな、校長は状況がおかしかったらブツのほうを疑えって言うぜ」

「じゃあ何か？　犯人が行き止まりに向かって逃げたら、現場の物証のほうが間違ってるって言うのか？　お前も鑑識の端くれだろうが。そんな寝言、まともに聞いてて現場が務まるのかよ」

「一番堅いブツを疑え。校長の口癖だ」

「この酔っぱらいが。一生、学校ごっこでもやってやがれ」

岡嶋がぶしつけに佐倉の肩を揺すった。

「よう、佐倉、おっかねえなあ」

「当たり前だ。こっちは遊びでやってるんじゃねえ。東に走ったのがどうした？　本人はパニくったって、ちゃんと言ってるんだ」

「うん、まあ、確かにそういうことはあるわな」

「だろう？　なのになぜ、お前んちの校長はシロだって決めつけるんだ？」

岡嶋は宙に目をやった。回らない頭を懸命に回しているふうだ。

「ああ、そうじゃないって。言ったろう？　東に走ったからシロと決めつけたんじゃない。最初は半分シロって感じで言ってたわけよ。それがここにきて真っ白に変わったんだ」

「いつだ？」

岡嶋はぼんやりとした目に瞬きを重ねた。

「それは……」

「そうそう、深見がゲロった日だ」

「なんだと……」

途端に頭が混乱した。

深見が自供した日に、倉石は深見がシロだと確信した……？

「そうなんだよ。本部の一課に自供の一報が入った時な、俺もたまたま課にいたんだ。部長や課長ははしゃいでたが校長の顔は険しかった。そのうち机を両手で叩くみたいにして立ち上がってな、ちょっと近寄りがたかったよ」

「悔しかったんだろう。自分のカンが外れちまって」

威勢よく言ってはみたものの、新たな不安の芽がぐぐっと頭を擡げていた。

一番堅いブツを疑え。

やはりDNAだ。だから科捜研に電話を入れた。倉石が今回のDNA鑑定に疑念を抱いていることは間違いない。

「岡嶋――」

「……」

一瞬の隙をついて寝息を立てていた。

「おい、岡嶋！」

「な、なんだ？」

「倉石さんはどこへ行った？」

「知らん」

「知らん？」

「ホント言うとな、校長のやることなすこと、俺にはさっぱりわからねえんだ」

「行きそうな店ぐらいわかるだろう？」

「ああ、ひょっとしたら老人クラブかもな。昨日もおとといも行ったみたいだから」

「老人クラブ……？」

「一丁目のクラブ『マダム』だよ。聞いたことねえか？　ホステスはみんな四十過ぎの年増。そういうのが好きな金持ちもいるらしいんだ。法医学教室の西田教授なんかも行ってるんだとよ」

それだ。

倉石は西田教授からＤＮＡ鑑定の情報を聞き出している。

佐倉は席を立った。歌詞カードを手に寄ってきた明美ママを押し退け、小走りで店を出た。

4

クラブ「マダム」に入店したのは午後十時半だった。

毛足の長い絨毯に柔らかい間接照明。「猫」や「かくれんぼ」の五、六倍はありそうな広いスペースに、ゆったりとした間隔で豪華なソファが配されている。

「いらっしゃいませ」

迎えに出たロングドレスの女は細身で洗練されていた。顔立ちも上品で好ましいが、歳は五十近くまでいっていそうだ。

座るつもりはなかった。財布には万札が一枚だけだ。

「ちょっと人を探しているんだ」

女に言って首を伸ばした。客は疎《まば》らだが、ソファの背が高いので顔を確認できないテーブルがある。

佐倉は女に顔を戻した。

「L医大の西田教授は来てないか」

「いいえ。今夜はまだお見えになってません」

先に教授の名を出したのは女の警戒心を解くためだ。効果はあった。女の瞳に親しげな笑みが覗いた。

が――。

「倉石という男は来てるか」

その名を口にした途端、女の顔が、見ているこちらが面食らうほどに強張った。

「いえ……あの……倉石様も今夜はまだ……」

しどろもどろだ。佐倉はこの事態をどう捉えてよいか判断しかねた。

「わかった。出直してくる」

踵を返した時、ドアが開いて綿あめのような白髪を揺らした老人が入店してきた。西田教授だった。佐倉の顔を見るなり、指を突き出し、だが名前が出てこない。

佐倉は腰を折った。

「中央署の佐倉です。司法解剖の折りに何度かお邪魔させて頂きました」

「ああ、はいはい。そうでした、覚えてますよ」

西田は上機嫌だった。鞄持ちの若い背広を従えている。

テーブルに誘われた。腰がすっぽり潜ってしまうほど柔らかいソファだった。両脇に座った女はいずれも四十半ばに見える。

西田はフルーツを摘みながら意外な話を始めた。

「実はね、この店、おたくの倉石君に連れてきてもらったんだよ。たったの五日前。それですっかり気に入ってしまってね、毎晩こうして寄らせてもらってるわけ」

「そうでしたか……」

曖昧に返事をしながら、佐倉は頭を整理するのに懸命だった。

倉石が西田を連れてきた？　ＤＮＡの話を聞くためか。こんな高級な店で接待をしなければ聞き出せない話なのか。解剖執刀医と検視官はツーカーの仲のはずだ。話なら西田の研究室ですればいいではないか。

「おーい、恭子ちゃん」

西田が伸び上がって女を呼んだ。さっき倉石の名を聞いて狼狽したロングドレスの女だ。

「先生、だめですよ、本名は」

隣の女が笑いながら諫《いさ》めた。

「あ、そっかあ」

西田は自分の額をピシャリと叩き、楽しくて仕方ないといった顔を佐倉に向けた。

「いやね、おととい倉石君が彼女の本名を聞き出しちゃったんだよ。ここだけの話、彼、恭子ちゃんに気があるね。実は僕もだけどさ、ハハハハッ！」

呼ばれた恭子は佐倉の横についた。渡された名刺には「繭子」と書かれていた。正面でなく横についたのは、佐倉に顔を見られたくないからのように感じた。

恭子……。珍しい名前ではない。だが、佐倉は何か引っ掛かった。つい最近どこかで耳にしたような……。

煙草を抜き出すと、ごく自然にライターの火が差し出された。俄《にわか》ホステスではなさそうだ。横顔を盗み見る。どことなく寂しげな瞳だ。心ここにあらずといったふうにも見える。

倉石の女か。

いや、さっきの反応は明らかに倉石を恐れていた。とすれば「教諭殺し」に何か関係がある女なのか。

「佐倉君――」

「はい」

「君はここで倉石君と待ち合わせってことかな？」

「いえ……」

チャンスだと思った。佐倉は身を乗り出して指を組んだ。

「実は先生にお聞きしたいことがあって参りました」

西田は意外そうな顔をした。

「ほう、なんだろう」

「倉石と近いお願いです。ＤＮＡのことを勉強させていただけないかと」

「ＤＮＡ……？」

西田は首を傾げた。

「血液型の話じゃないの？　倉石君はそっちを聞いてたよ」

佐倉は絶句した。

ＤＮＡではなかった。

血液型。いったい倉石は何を知ろうとしていたのか。

もはや正面突破を図るほかない。

「西田先生――倉石は先生に血液型の何を伺ったのですか」

「だから、ほら、あれだよ。新聞にも載ったんだよ。君も見落としちゃった？」

「ええ」

「困るなあ。まあ、あんまり大きく出なかったからね。生体肝移植とかクローンとかだとマスコミも騒ぐんだけどね」

「教えて下さい」

「つまりね、両親の血液型からは出来ないはずの血液型の子供が生まれることもある、っていう研究結果だよ。遺伝子の研究で明らかになったんだ。血液型を決める遺伝子に組み替えが起きて、ちょっと難しく言うと、遺伝子の一部が欠損して酵素活性が失われてしまってね、ＤＮＡ鑑定をすればはっきり親子だとわかるのに、血液型だけを調べると他人だと鑑定されてしまうケースがあるっていうことなんだ」

佐倉は動けなかった。

視界の隅に、小刻みに震える像がぼやけてあった。

もうわかっていた。思い出したのだ。

酒上恭子――。

「教諭殺し」の捜査報告書の中にその名があった。三十年前、深見忠明と結婚し、一児を設けたのち離婚した女だ。

5

午前零時を回っていた。

佐倉はタクシーで中央署に向かっていた。

当直の看守に携帯で呼ばれた。倉石が強引に留置場に入り、房内の深見忠明と面会した。看守の声は悲鳴に近かった。

十分後に署に到着した。

二階の刑事一課を抜け、細い廊下を歩いて留置場に向かう。鉄扉を開いた若い看守の顔は青ざめていた。

「検視官は?」

「深見にひと言ふた言何か言って、すぐに帰りました」

「そうか……」

「すみませんでした。命令だと言われ、どうしようもなくて……」

「いい」

短く言って佐倉は看守台に上がった。左隅の「七房」。微かな常夜灯の明かりに、正座をしている男の輪郭が映し出されていた。

微動だにしない。佐倉は確信した。深見は今度こそ本当に「落ちた」のだ。

教諭殺しの本ボシは深見の息子——佐倉はもう一つの確信を胸に看守台を下り、房に向かった。

「深見——」

小声で呼ぶと、五十男の顔がこちらに向いた。目に涙を浮かべている。

「佐倉さん……」

深見を房から出し、保護房の畳の上で向かい合って座った。

「話してみるか」

「……」

「膝を崩せ」

「……」

「これは取り調べじゃない。好きに話していい」

「……」

深見は正座のままだ。頸骨が見えるほど深く俯いている。

「お前は本当のことを知っている。おそらく俺もだ」

「……」

「さっき来た男に言われたろう」

顕著な反応があった。深見の肩が震えだした。やはり倉石に血液型とＤＮＡのネタを突きつけられたのだ。

深見が少しだけ顔を上げた。上目遣いで佐倉を見つめる。

「確かに……私は……」

嗚咽に近い声だった。

「……私は……間違っていたかもしれません……」

佐倉が黙する番だった。

「本当のことを言わなければ……ちゃんと話さなくては……」

長い間があった。

深見はまた頭を垂れた。そして言った。

「佐倉さん……すみませんでした。本当のことを話します。何もかもお話しします」

だが、それから数分は次の言葉が出てこなかった。佐倉は辛抱強く待った。

深見が顔を上げた。今度は真っ直ぐに佐倉を見つめた。

震える唇が動く。

「ずっと……ずっと恭子を恨んで生きてきました。初めての子供が、勇作が……自分の子ではないと知らされて、私は逆上しました。恭子は浮気なんてしてないと言いました。泣きながらあなたの子だと訴えました。しかし、どうしたら信じられました？　ＤＮＡ鑑定なんて当時はなかった。ＢとＯの親からはＡは生まれない。これは動かしようがなかった……。恭子が浮気を否定するたび叩きました。顔が腫れ上がるほど殴りつけました。勇作を蹴りつけたこともあります。足の爪先が柔らかい肉に食い込んで……」

涙が畳を打った。

「離婚して、独りになって……それからも恭子を憎んでいました。呪っていました。人生をメチャクチャにされた。そう思っていました。他の女と付き合ったりもしましたが、誰も心から信用することはできませんでした。それでも私には仕事があった。私はホテルマンに誇りを持っていました。しかし……それも奪われた。生きる気力をなくしました。金もなく、アパートを引き払いました。いつかホームレスのように外で寝泊まりする生活になっていました。古新聞は寒さをしのぐ布団でしたし、唯一の娯楽でもありました。そして……ある日読んだんです、あの血液型の記事を……」

深見は膝の上で拳を握った。

「体が震えました。震えが一日中止まりませんでした。恭子の顔が思い出されました。泣きながら、あなたの子だと訴える顔です。本当かもしれない。あの訴えは本当だったのかもしれない。そう思うようになりました。そして確かめたくなりました。勇作が私の本当の子供なのかどうか……」

佐倉は無言で頷いた。

深見は涙を袖口で拭い、続けた。

「これも新聞でした。お金を出せばDNA鑑定をしてくれる会社があることを知りました。二十万円です。私は荷運びの日雇いをして金を貯めました。ホテル時代の友人を拝み倒して住所を借り、先方に金を振り込みました。すぐにプラスチックの小さな容器が送り返されてきました。あとは勇作の毛根の付いた髪の毛が一本手に入れば鑑定ができる。私は深夜、東部団地に通いました。二階の勇作の部屋に忍び込めるチャンスはないか、二週間近くも様子を窺っていたんです。恭子の姿は何度も目にしました。真夜中に帰宅してくるからです。水商売をしていることはすぐにわかりました。複雑な思いでした。苦労を掛けてしまったと思うこともあれば、男が好きだからあんな仕事をしてるんだとか、やっぱり浮気をしてたんじゃないかと思う時もありました。でも、それもこれもDNA鑑定をすれば決着がつく。すべてがわかる。そう思いました。そして……あの日です……」

深見は記憶を辿る目になった。

「午前一時過ぎに勇作が出掛けました。その晩は家に恭子がいるとわかっていたので、何というか、誘われるようにして勇作の後をつけたんです」

ごくりと深見の喉が鳴った。

「……目を疑いました。勇作は比良沢さんの家に忍び込んだ。玄関の鍵を壊して入ったんです。家は真っ暗でした。誰もいないと思ったに違いありません。金が欲しかったのだと思います。しばらくして家の中が騒がしくなりました。息子さんと格闘になったんですよね。私はどうしていいかわからなかった。玄関の脇で地団駄を踏むようにして、早く出てこい、早く、と心の中で叫んでいました。家の中が静かになりました。その途端、勇作が玄関から飛び出してきたんです。私はホントに馬鹿みたいに動転していたんだと思います。妙な錯覚を起こして。勇作が自分の懐に向かって走ってくるような気がしたんです。思わず両手を開いていました。もう次の瞬間、バシッと殴りつけられた。勇作は振り向きもせず走り去っていきました。私もよろよろと道に出ました。すると隣の家の窓がいきなり開き、女の人と目が合いました。慌てて逃げました。そうです、東に逃げました。勇作が西に逃げたことはわかっていましたから……」

佐倉は一つ頷き、乾いた唾液で張りついた唇を開いた。

「庇おうと考えた」

「……わかりません。咄嗟のことでしたから……。ただ、線路脇で逮捕された後、事件が殺人だと知り、心が揺れました。もし勇作が自分の子でなかったとしたら、私はいったい何のために殺人犯になるのか……。だから弁護士さんの言うとおり黙秘したんです」

「その迷いが吹っ切れた。あの時、お前を落とすために言った俺のセリフで」

「そうです……。私はあの瞬間、自分が勇作の父親なのだと確信しました」

県内に三人とはいないDNAの型──。

それがあの現場で交錯した。父と息子の二つのDNAが。

現場の血痕の謎も氷解した。格闘した勇作と比良沢富男はともにA型血液だった。行ってもいない現場の部屋から、深見のB型血液が検出されるはずがなかった。

倉石は読み切った。

犯人ではないと確信していた人間が、自分が犯人だと自白した瞬間に、「陰の人物」の存在を嗅ぎ取ったのだ。

状況がおかしければブツを疑え。

土地カンがあるなら東には逃げない。倉石はその一点にこだわり、ブツを疑って掛かった。

一番堅いブツを疑え。

それはDNAではなかった。誰もが信じて疑わなかった血液型による親子鑑定。その「神話」に疑いの目を向け、ものの見事に覆してみせた。

佐倉は深見を見た。

倉石が相手ではひとたまりもなかったろう。MCT118では二人のDNAの型が一致した。だが本人の物でない限り、この後、さらに複数のDNA鑑定を行えば齟齬《そご》が生じ、深見が犯人になりえないことが証明される。倉石にその事実を突きつけられ――。

待て。

佐倉は雷鳴を聞いた気がした。

ここに到着した時、看守は何と言った？　そうだ、「ひと言ふた言」だ。倉石はそれだけ言って立ち去ったのだ。

ありえない。この込み入ったＤＮＡの話をひと言ふた言で言い聞かすことなどできっこない。

佐倉は改めて深見と向き合った。

「さっき来た男、お前に何を言った？」

深見は苦しげな表情になって目を閉じた。

「お前は父親じゃねえ。とっととうせろ――そう言われました」

父親じゃない……。

なぜ倉石はそんな嘘を言った？

いや、そのひと言でなぜ深見は落ちたのだ？

聞く前に深見が言った。

「こう聞こえました――本当の父親なら、人を殺した息子をのうのうと生きさせたりはしない」

佐倉はしばらく黙っていた。

〈……私は……間違っていたのかもしれません……〉

深見の口をついて出た最初の言葉が、ずっと昔に聞いたもののように感じられた。

倉石の言葉を受けていたのだ。庇ってはいけない。それは本当の父親ではない――。

佐倉は腹の深いところから息を吐き出した。

「戻るか」

「ええ」

「今夜だけだ。明日調書を取ったらパイになる」

佐倉は腰を上げ、少し遅れて立ち上がった深見の目を見つめた。

「さっきの男の言葉、俺は違う意味に取った」

「えっ……？」

「もう忘れろ。血にこだわるな――彼はそう言ったんじゃないのか」

深見は宙を見つめた。

「忘れろ……血にこだわるな……」

「俺はそうしたほうがいいと思う」

「……」

「二人とも二十九歳だった」

「えっ……？」

「勇作も比良沢富男も二十九歳だろう。同じ団地の同じ歳。小中学校の同級生だったたってことだ」

「あ……」

「物盗りが殺しの発端だったかどうかはわからない。二人の間には二十九年間の時間があったんだからな。わかるか？　お前にはそれがない。お前と勇作の間にはこれっぽっちの時間もなかったんだ」

おそらく倉石はそう言った。一人で生きていけ、と。

深見は肩を落とし、そして濡れた目を上げた。

「わかります。私は何もしてやらなかった。これからもきっとしてやれない……でも……でも……」

佐倉は深見の憔悴しきった顔を見つめた。その向こうに恭子の悲しげな横顔が重なって見えた。血液型による親子鑑定。その不確実さがもたらした悲劇は、果してこの家族だけに降りかかったものだったろうか。

佐倉は深見の肩を軽く叩いた。

保護房のドアが開き、そして音もなく閉じた。

黒星

1

「署長」

「えっ……？　ああ、君か。脅かすなよ」

「すみません、散歩中に」

「散歩はこいつ。僕はお供だよ」

「やっ、またでかくなりましたね」

「餌代と比例してね——で、今夜は何だい？　大新聞のキャップが真夜中にお出ましとは」

「十条かおりの件ですよ。明日、司法解剖することになったって本当ですか」

「ああ……うん」

「自殺で決まりじゃなかったんですか？　夕方、広報課じゃそう言ってましたよ」

「……」

「ダンマリですか。決まりか、決まりじゃないかぐらいは教えてくださいよ」

「歩きながら話そう。こいつに嚙みつかれちまう」

「話してくれるんですね」

「君のところの朝刊の締切、何時だっけ？」

「……」

「今度はそっちがダンマリか。君たちは狡《ずる》いな。人には何でも話せ話せとせっつくくせに」

「わかりました。言いますよ。他社には教えないでくださいよ。締切は零時半です」

「今は？」

「えーと、零時十二分です」

「じゃあ、まだちょっと話せないなあ」

「署長オ」

「まあ、そう熱くなるなって。明日の朝、夕刊用に発表するから」

「少しは話して下さいよ。発表記事ばっかり書いてちゃ商売あがったりで」

「こっちも立場ってものがあるからね。出先がぺらぺら喋ると本部の雷が落ちるんだ。それより、君、あちこち取材したんだろう？　十条かおりって以前は結構人気があったらしいじゃないか」

「そうですよ。ミニスカートで演歌を歌うんでミニスカ演歌とか言われて、テレビにもちょくちょく出てましたから」

「ふーん。しかしまあ、歌手なんてのも売れなくなったら惨めなもんだね。所持品の話、聞いたかい？」

「ええ。財布はマネージャー預かりとはいえ、ジャージと下着と化粧ポーチだけ。営業用のラメ入りスカートもたった二着。それで今月いっぱい県内の温泉地の宴会ショーを回ろうっていうんですからね」

「いつぞやの大麻疑惑がこたえたってことだな」

「本社が言うには、彼女にその大麻を教えたのが、例の大磯一弥《おおいそかずや》らしいって話ですよ」

「体操のメダリストね。いつの世も悪いのは男か」

「本題に入りましょうよ。えーと、十条かおりがホテルにチェックインしたのが午後二時過ぎ。大磯一弥と東洋ハム社長の娘の電撃婚約がワイドショーで流れたのが三時。十条かおりが七階の部屋から飛び下りたのが四時少し前。発作的な自殺でOKでしょう？　彼女は警視庁で大麻の取り調べを受けた時、誰から貰ったか頑として口を割らなかったそうですよ。大磯に一途だった。だからワイドショーを見て絶望した。憎しみが噴き出して当てつけに死んだ。違いますか？」

「いま何時？」

「えっと……あ、もう過ぎましたよ、締切」

「僕も同じことを言ったんだ」

「えっ？　何がです？」

「当てつけ自殺だろうってね。ところが首を縦に振らなかったんだ、倉石調査官が」

「終身検視官の倉石さん？」

「そう、その倉石さんだけが違うと言った」

「署長より上でしたっけ？」

「一つね」

「しかし、倉石さんはなぜ？　当てつけじゃないとすれば自殺の動機は何です？」

「君も現場に来てたから知ってるよな。十条かおりが自分の部屋の窓から飛び下りれば、真下のハボタンの花壇に落ちるはずだ。ところが彼女は隣のアリッサムの花壇で死んでいた」

「ちょっと待って下さい署長。その話は現場でも聞きましたよ。窓からほんの少し斜めに飛び出せば隣の花壇に落ちる。ちっとも不思議じゃない。捜査員も鑑識もみんなそう口を揃えてましたよ」

「が、倉石さんは頷かなかった」

「じゃあ、十条かおりがわざわざアリッサムの花壇めがけて飛んだって言うんですか」

「だったとしても、やっぱり自殺だろ」

「えっ！　まさか」

「……」

「署長、そうなんですね？　倉石さんは殺しだと言った」

「……」

「じゃあ、誰かがアリッサムの花壇に彼女を……？」

「倉石さんはこう言った——ホシは十条かおりをクロロホルムで失神させ、口元に残る薬品の臭いを誤魔化すためにアリッサムの花壇を狙って彼女の体を放り投げた」

「えっ……？　どういうことです？」

「君も見たろう？　アリッサムの花壇は真っ白だった」

「あ、ええ。そうでしたけど」

「アリッサムの白い花は、春先の花としてはかなり匂いが強いんだそうだ。薬品臭を相殺できるぐらいにね」

「匂いの相殺……？　ハッ……ハハハハハッ！」

「僕も君以上に笑ったさ」

「そりゃあ誰だって笑いますよ。いくらなんでも、そんな理由で殺しだと決めつけるなんて。だったら遺書のことはどう説明するんです？　警察は発表しなかったけど、現場で小耳に挟みました。あったんでしょ、遺書が？」

「あった。ホテルの部屋のテーブルにね」

「封書で？」

「いや、剝き出しの便箋一枚。万年筆でびっしり書いてあった」

「内容は？」

「婚約会見を見て死にたくなったとか、大磯を一生苦しめてやるとか、いろいろだ」

「自筆と確認されたんですよね？」

「ん。簡易鑑定だがな」

「だったら、倉石さんの初黒星だ」

「連勝記録を伸ばしただけさ」

「なぜです？」

「彼女のバッグには万年筆も残りの便箋もなかった」

「あ……」

「そっ。彼女の所持品は、ジャージ、下着、化粧ポーチ、営業用のラメ入りスカート。それだけだ」

「で、でも、ホテルの部屋で遺書を書いたとは限らないじゃないですか。チェックインする前に書いたものを持ってたとか」

「おいおい、もう忘れたのかい？　遺書には、婚約会見を見て死にたくなったって書いてあったんだよ」

「あ！」

「部屋でワイドショーを見てから書いたことは確かなんだ」

「けど……そうなるといったい誰が……」

「要するにこうだ。十条かおりはホシに唆《そそのか》されて遺書を書いた。『自殺未遂騒ぎを起こせば大磯一弥の婚約をぶっ壊せるかもしれないぞ』ってな」

「だから、そのホシっていうのは誰なんです？」

「誰ならできる？」

「そりゃあ身近な人間……。まさかマネージャーとか？」

「そのまさかだったよ。任意だが、さっきだいたいのことは認めた。逮捕状も出たんで明日の朝一番で身柄をとるよ」

「信じられません。こんなことって……」

「実家は園芸農家だそうだ。どうだ、信じる気になったかい？」

「それで花に詳しかった……」

「そういうこと。さて、そろそろ引き揚げようか。こいつもくたびれてきたみたいだしな」

「しかし、殺す動機は？　マネージャーは十条かおりで食べているわけでしょう？」

「彼女に大麻を教えたのはそいつだったんだ」

「それ、本当ですか」

「警察にバラされるんじゃないかとずっとビクビクしてたらしい。婚約会見を見て逆上した十条かおりを宥《なだ》めるうちに犯行を思いついた。この際、心配事を消してしまおうってな」

「署長の言う通りだ。男が悪い」

「ま、女が悪いよりはマシだけどな」

「と、それより署長、今の話、他社には話してませんよね？」

「帰ってきた時、ケンミンさんが待ち伏せしてたよ」

「えっ？　ケンミンはまだ夜廻り自粛中でしょ？」

「再開したらしいよ。あんまり抜かれるんで」

「甲斐さんが？」

「いや、相崎君のほう。彼はいいよね。ギラギラしてなくて」

「喋らんよ、締切前の時間には」

「喋ったんですか？」

「タカラヅカが来てもですか？」

「えっ？　ああ、花園愛ちゃんね。可愛いよなあ、彼女は」

「気をつけて下さいよ。こっちの世界じゃ、悪いのはたいてい女ですからね」

「ハハハッ！　ウチは違うよ。婦警はみんな従順でクソマジメ。君、独り身だったよな？　どうだい一人、東京に連れて帰っちゃあ」

2

啓蟄《けいちつ》。暦のうえでは春。なのになぜこんなに寒いんだろう。

部屋はこんなに狭いのに。ベッドもこんなにちっぽけだというのに。心が、かじかんでいるからだ。だからこんなに寒いんだ。

小坂留美は鼻のところまで毛布を引き上げた。

「男なんてみんなおんなじ」

呟いてみて悔やむ。それだけは言うまいと決めたはずだった。男がそうなら、女もまた誰もが同じなのだと認めねばならなくなる。

「あんなやつ……」

呟いてみてまた悔やむ。最低の男を、最高の男と見誤った悔しさと情けなさが胸に押し寄せてくる。

そう、男はみな同じわけではない。二通りいる。

ただ抱きたがる男……。

心を引き寄せてから抱きたがる男……。

今は、ただオスとして抱きたがる男のほうが、どれほどか善良に思える。

「あんなやつ……」

悔やむのを承知で呟いた。

留美は毛布を被った。

あと三日で三十一歳……。なんでこんなに男運が悪いんだろう。

小机の電話が鳴った。

午前一時過ぎの電話。留美はしばらく胎児のように丸まって毛布にくるまっていた。電話は鳴り続けている。目だけ出して見つめる。鳴りやまない。手を伸ばしたのは未練からだとわかっていた。あれほどひどい仕打ちを受けたというのに、心はまだ「ごめんな」の声を欲している。

《夜分にごめんなさい。町井です》

予想は大きく裏切られた。

旧姓落合春枝。弾むように明るい声。最も聞きたくない声。よりによってこんな夜に。

「……久しぶりね」

《寝てた？》

「ううん。起きてたよ」

言ってしまった自分を呪う。寝ていたと言って切ってしまえばいいものを。

《ホントに久しぶりよね。どうしてた？》

「うーん。相変わらずかな」

いつもこういう会話だ。一年に一度か二度、春枝は電話を寄越す。まるで留美が独りでいることを確認するかのように。
《たまには会いたいよね》
「そうだね」
だからといって決して具体的な約束はしない。それが暗黙のルールであるかのように。
《えーと、あれから八年？　九年？》
「十年になるかな。あと少しで」
《わあ、早い。お互いもうオバサンね》
胸に痛みを感じた。自分を平気でオバサンと呼べるのは幸せな家庭にどっぷり浸かっているからだ。
それで思い出した。半年ほど前に春枝から「花の詩」を添えた絵葉書が届いたことがあった。ホントに幸せなんだ。そう思った記憶がある。
「あの……遅くなっちゃったけど、絵葉書ありがとう。まだ続けてるんだ、草花の生け花」
《うん。唯一の趣味だから》
声がブレた。携帯から掛けているらしかった。
「外？」
《ううん。中》

「なんか、今日、寒いね」
《そ？　私はポカポカしてるけど》
もう切ろう。留美が思った時だった。
《明日あたり、偶然会ったりしてね》
ドキッとした。
「……そうね。どっかで偶然ね」
《なんだかホントに会いそうな気がする》
「うん」
《そしたら、なにか美味《おい》しいもの食べようね》
息苦しくてならなかった。
《本部の前の喫茶店、まだやってる？》
「やってるよ。クロッカスでしょ」
《あそこのミックスサンド、美味しかったなあ》
「そうね」
《ランチのピザも》
「そうね」
切りたいのだと伝わったようだった。小さな間のあと春枝は早口で言った。

《じゃあまたね。きっと会おうね》

留美は受話器を置き、毛布に潜った。

ひどく消耗していた。

L県警察学校。婦警の同期は留美と春枝、そして久乃の三人だけだった。姉妹より仲がよかったと思う。厳しい寮生活が終わって一線に配属されるまでは。

三人して同じ男を好きになった。管区機動隊に所属していた、笑顔の眩しい青年だった。今にして思えば、稚拙な駆け引きをして彼を競い合い、稚拙だっただけにひどく互いを傷つけ合って三人の心は散り散りになった。

彼の心を射止めたのは久乃だった。結婚し、婦警を辞め、彼の子供を産んだ。

それなりの時間が与えられたならば、恋に破れた者同士、留美と春枝は再び接近できたかもしれなかった。春枝がその可能性を断ち切った。久乃が退職してすぐ自分も警察を辞めてしまったのだ。

それが留美を苦しめた。

警察は狭い社会だ。一人の機動隊員を同期の婦警三人が奪い合ったという話は、退屈な当直勤務の恰好の話題にされ、多分に尾ひれがついて組織の隅々まで知れ渡っていた。春枝は堪えかねて逃げ出したのだ。一度は彼をベッドに誘い込んだというから、失恋の痛手は留美よりも大きかったろう。彼が久乃を選んだとわかった後も、最後までぶざまな悪あがきを続けた春枝は心底疲弊していたのだとも思う。

けれど許せなかった。留美を一人、心ない噂の渦中に置き去りにした春枝が憎くてならなかった。留美は辞めるに辞められなかった。父が病弱で、下には高校二年の弟がいた。競争率二十倍の試験をパスして摑んだ婦警の職に誇りもあった。その誇りに縋った。婦警の制服に袖を通すたび、人のために役立っているのだと自分に言い聞かせた。

五年ほどして、春枝が会社員と結婚したという話を耳にした。披露宴の招待状は届かなかった。届いても欠席したと思う。

留美もまた警察の外に相手を求めて幾つもの恋愛を経験していた。どれもうまくいかなかった。自分でも呆れるほど関係を急いだり、その逆に相手の気を逸らし過ぎたりして迷走した。最初の恋で受けた敗北感も悔しさもなんら留美に成長をもたらさず、新たな出会いに、ただ迷いと焦りを与え続けた。それだけに春枝に結婚で先を越されたと知ってからの留美は平静さを欠き、そしてまた、ろくでもない男に身を任す愚を重ねた。

だけど……。留美は毛布の中で呟いた。

今度は違う。そう思っていた。そう信じていた。

三つ下のノッポの彼。業務用冷蔵庫にも入れられない巨大なレタスを作るのが夢だと語るバイテク技術者。堅物ではなかった。スポーツタイプの車を乗り回し、初めてのデートでは百五十キロも走って湖畔のレストランに連れていってくれた。よく笑い、よく食べる人だった。彼のシャツとネクタイのローテーションがすべて知れたころ、飾り気のないシティホテルで抱かれた。肌も合った。ベッドの中でも彼は優しかった。それからずっとプロポーズを待っていた。結婚への願望ではなく、この人と一緒にいたいのだと心が告げていた。

なのに。

三日前、彼の胸で聞いた言葉が、痛みを伴って耳の奥に残っている。

ねえねえ、次に会う時さ、婦警の制服持ってきてよ——。

彼は平気なのだろうか。プライドの結晶である巨大レタスを唾液や精液で汚されても。

ピッ。

枕元の目覚まし時計が時報を発した。午前三時……。

留美は濡れた目を閉じた。

そうなのだろうか。また新しい恋を探さなくてはいけないのだろうか。

疲れていた。

漆黒の網膜に春枝の顔が浮かんでいた。

妬みが、十年前のその顔に幸せそうな笑みを与えた。

3

「おはようございます。あの、ちょっと聞いていいですか」

「何ですか」

「隣の倉石さんなんですけど、お留守ですかね？」

「あなたも警察の人？」

「いえ、僕は違います」

「迷惑してるんですよ、ホントに。しょっちゅうマージャンやってて、ほら、ウチは牛乳屋だから朝が早いでしょう。なのに、あの人はちっともお構いなし。マージャンに飽きるとね、人相の悪い若い人を大勢連れて飲みに出掛けるの。朝帰りなんて珍しくないし、家に戻らないことも多いのよ。女の人も何人も出入りしていてね、近所じゃとっても評判が悪い人なの。警察でもそうなんでしょ？」

「あ、いえ。それは何とも……」

「きっと直接、警察に行ったのよ。会ったらあなたからも言ってやって。ご近所はみんな怒ってるって。ああ、それから、ゴミはちゃんと指定日に出すように、ってね」

4

白い軽自動車は工場跡地の片隅にとまっていた。

マフラーにゴムホースが繋がれ、先端は車内に引き込まれていた。ホースの厚みによってできた運転席の窓の隙間には内側からガムテープで目張りがしてあった。

その運転席の窓ガラスに町井春枝の頬が触れていた。肌の荒れようは十年の歳月を物語ってなお余りあった。厚塗りをするのが嫌で、だから自分自身への死に化粧を施さなかったのかもしれない。ただ、うっすら開いた形のいい唇には、三十過ぎの女がつけるには躊躇《ためら》いを覚えそうな、春めいたピンクの口紅が綺麗に引かれていた。

留美は車のわきで立ち竦《すく》んでいた。本当に足が竦んでしまって、その場を離れるに離れられなかった。

朝方、検視官の倉石警視に電話で呼び出された。十年前、その倉石は本部鑑識課の次席で、指紋係に配属された留美は一年だけ下に仕えた。春枝が辞めた年だった。彼女も同じ指紋係に配属されたのだが、たった一月足らずで倉石に辞表を出した。

一度、留美と春枝は排ガス自殺の現場に応援で出向いたことがあった。その現場で倉石がぼそりと言った。睡眠薬と排ガスのセットが一番綺麗に死ねる――。

春枝は、その倉石の言葉を覚えていたに違いなかった。

数人の鑑識係員が車を囲んだ。

ドアが開かれる。外に崩れ落ちそうになった春枝の体を係員の手が慌てて押さえた。スカートの膝に携帯電話が置いてあるのが目に入って、留美の脚の震えは増した。

〈ううん。中〉

〈そ？　私はポカポカしてるけど〉

春枝はこうも言った。

〈明日あたり、偶然会ったりしてね〉

〈なんだかホントに会いそうな気がする〉

あんまりじゃない。留美は口の中で言った。

春枝は確信していたのだ。今日、留美がここでこうしていることを。

それでも涙が溢れた。ただ悲しかった。なぜ春枝は自殺してしまったのか。

「小坂――」

声に振り向くと、杉の木を連想させる倉石の姿があった。オールバック。鋭い眼光。「イタリアのマフィアみたいだよね」。春枝とそう囁き合って笑ったことを思い出す。

「調査官、なぜ春枝は……」

声が上擦った。涙を拭い、もう一度言った。

「なぜ春枝は自殺したんです？」

倉石はだるそうに首を回した。

「まだ自殺と決まったわけじゃねえ」

耳を疑った。

「死体をよく拝んでからだ」

「でも目張りは？　内側から張ってありました」

「運転席側だけじゃねえか。張ったあとに助手席側から降りてドアロックすりゃあ済むだろうが」

「そ、それはそうですけど……」

倉石はゆったりとした足取りで車に向かった。

もったいつけている。留美にはそうとしか思えなかった。誰が見ても自殺だとわかる。はっきり倉石に断じて欲しい。そうでなければ心が乱れるばかりだ。

足の自由が戻っていた。留美は近くにいた刑事に歩み寄った。

「あの……自殺の理由はわかってるんですか」

ぶっきらぼうな声が返ってきた。

「旦那とは二年前から別居中。二人の子供は向こうの親が育てている。わかってるのはそれだけだ」

留美は見開いた目に瞬きを重ねた。

〈わあ、早い。お互いもうオバサンね〉

幸せじゃなかった……。

検視を終えた倉石が戻ってきた。

「調査官、どうでした?」

それには答えず、倉石は感情のない目を留美に向けた。

「お前が知ってることを言ってみろ」

留美は頷いた。固唾が喉を下る。

「ゆうべの電話では最初から最後まで明るい声で喋っていました。ですが、今から思うと……死ぬことを決めていて言ったような言葉ばかりで……」

留美は唇を噛んだ。

「気に病むな。気づかなくて当然だ――続けろ」

「は、はい……」

倉石はメモを取るでもなく黙って留美の話に耳を傾けていた。

「電話のことはこれですべてです。あとは……」

留美はショルダーバッグから葉書を取り出した。

「参考になるかどうかわかりませんが、電話の中にでてきた絵葉書です。半年ほど前に春枝が寄越しました。彼女、若いころ草花や手近な花を生ける教室に通っていたことがあって、カイシャを辞めた後もずっと趣味として続けていたようです」

葉書には春枝が生けた花が水彩で描かれ、筆ペンで詩が添えられている。祖母が県下では名の知れた歌人だったと聞かされたことがある。だからだろう、春枝の詩は古めかしく、それでいて、どこかハッとさせられる。

倉石が葉書を手にした。留美も改めて文面を目で追った。

冬の日の
むらさきの　ギヤマンに
白きミニバラ　いと映えて
しなやかな
紅蔓の空間に　弧を描く
面白き

倉石が背広の内ポケットに手を差し入れた。

「こっちは妹に送った葉書だ」

留美は目を見張った。倉石が取り出したのも春枝の絵葉書だったのだ。

葉を取りし
クリスマスホーリーの
赤い実が
愛らし

留美はふうっと息を吐いた。

「あちこちに送っていたんでしょうか」

「わからん」

「その葉書はいつ届いたんです？」

「消印は四カ月前だな」

言ってから倉石は振り向いた。背後から強面の私服が三人駆け寄ってきていた。

「調査官――」

声をかけたのは所轄の刑事課長だった。携帯の送話口を手で押さえている。

「警務部長からです」

留美はすぐにピンときた。事は「元婦警」の自殺だから警務部が神経を尖らせている。

「いないと言え」

「かなり怒ってます。調査官の携帯が繋がらないと」

「あんまりうるせえんで切ったんだ」

倉石は小柄な老刑事に顔を向けた。

「わかったのか」

「さわりだけですがね。町井春枝の姑はかなりきつい性格ですわ。嫁いびりも相当なもんだったようで」

「口紅は？」

「姑は知らんと言ってます。ま、町井本人の持ち物には違いないでしょうがね」

「あの、ちょっといいですか」

横から本部の若い刑事が口を挟んだ。

「何だ？」

「こっちは田崎刑事部長からです。調査官の結論を知りたがってます」

「殺しです――そう言っておけ」

刑事たちの目がカッと見開いた。鑑識の人間たちにも倉石の声が届いたようだった。作業の手を止め、一様に驚きの表情を見せている。

留美は思わず言っていた。

「本当に殺しなんですか」

『終身検視官』の異名をとる倉石の見立てに一婦警が疑義を唱えた。普通なら周りが慌てたろうが、しかし留美の言葉はその場にいたすべての捜査関係者の思いを代弁していた。

倉石は語気を強めて本部の刑事に言った。

「早く部長に伝えろ。聞き込みに百人は出せと言え」

5

「どうも夜分にすみません」

「ああ、あなたでしたか。何の御用です？」

「用と言うか、いわゆる記者の夜廻りというやつで」

「なるほど。では上がりますか？　家内は東京の自宅に帰ってますのでお茶も出せませんが」

「いえ、ここで結構です」

「しかし、立ち話もなんですね」

「ホントにお構いなく——では、少し聞かせて下さい。一週間前の例の排ガス自殺の件です」

「あなた、勘違いをしていますよ。刑事部長官舎は隣です」

「いえ、警務部長、あなたに聞きたいんです」

「どういうことです？　事件のことは私ではわかりませんよ」

「惚《とぼ》けないで下さいよ。自殺したのはL県警の元婦警でしょう？」

「誰がそんなことを言ったんです？」

「ネタ元は言えませんよ。まあ、あちこちから聞こえてくるんです」

「まさか、書くんじゃないでしょうね？」

「認めるんですね？」

「私は何も知りません」

「わかりました。明日の朝刊を見て下さい。町井春枝の記事が出ます」

「ちょっとお待ちなさい——たった三年しか在籍していない婦警なんですよ。しかも十年も前に辞めているんです。元婦警として記事にするのは酷というものでしょう」

「仰しゃる通りです。現職でもない人の自殺を記事にする気はありません。ですが、殺しとなれば話は別です」

「誰がそんなことを言ったんです？」

「またその質問ですか。誰も言わなくても見てればわかりますよ。刑事が大勢動いてますからね」

「あれは自殺です。間違いありません。私は本庁の刑事局に捜査資料を送って回答を得ました。百パーセント自殺だと言ってます」

「だったらなぜ、検視官の倉石さんは殺しだと言い張っているんです？」

「あの人はちょっとおかしいんです。何を考えているかわかりません。知りたいのなら、あなたが直接彼に聞いてみたらいいでしょう」

「なかなかつかまらないんですよ、倉石さんは公私ともに忙しいから」

「あなたの考えていることもさっぱりわかりません。いったい警務部の私から何を聞き出したいのですか」

「要するに——殺しに準じた今回の捜査は、L県警がやっているのか、それとも単に検視官が暴走しているのか、ということですよ。L県警の意思ならば記事にするつもりです」

「答えは既に出てるでしょう。検視官のスタンドプレーです。あの人の検視は優れていると評判のようですが、しかし今回の一件は明らかな失策です。彼のキャリアを台無しにする大きな黒星です。本部長とも相談のうえ、近々に捜査一課調査官の任を解くつもりです」

「それは考えもんですね」

「なぜです？」

「この一週間、刑事部の様子を観察していて思ったんですよ。確かに誰もが自殺だと思っている。なのにみんな嫌な顔一つせずに聞き込みに歩いている。不思議だと思いませんか」

「彼に人望がある、ということですか」

「勿論それもあるでしょうが、でも、今回はそういうことではなくて……。なんと言うか、うまく言えませんが、刑事部の人間たちは倉石さんが何をしたいのか薄々勘づいている。意思は伝わっている。それでもって部全体が一つにまとまっている。こんな時に倉石さんを更迭したりしたら、刑事部全体を敵に回しかねませんよ」

6

昼休み。交通企画課を出て五階に上がる。町井春枝の一件以来、それが留美の日課になった。今日で十日目だ。心は斑《まだら》だった。倉石に対する共感と反発が相半ばして気持ちの整理がつかずにいた。

留美は捜査一課の扉を押し開いた。大部屋の奥の検視官席に倉石の難しい顔があった。楊枝を口の端にくわえ、捜査資料の束に目を通している。

「失礼します」

「ご苦労。座れ」

尖った顎が指すパイプ椅子に腰を下ろす。これも日課だ。

留美はショルダーバッグから葉書を二枚取り出した。

「十八枚目と十九枚目です。高校時代の友人に宛てていました」

「見せてみろ」

蠟梅《ろうばい》は
まだ　一花も開いていない　立ち姿
やぶ椿は

蕾が　やっと一つ　色づいていて
葉は
つややかな　息づかいをしている

瑠璃色の　ガラスの壺に
淡い色をした
ブルースターが映える
雲龍柳を　床になびかせ
その名のように　星型をした
小さい花びらの集まり
ブルースターを　ゆったりと添わせる
控えめな優雅さに
器も　花も　生を得て

「ようやくわかった気がします」

留美が言うと倉石の目が向いた。椅子を回転させ、体の向きも変えた。

「言ってみろ」

「すべて冬なんです。花も、詩に盛り込まれている季節も。消印は春夏秋冬バラバラなのに町井春枝は冬のことしか伝えていないんです。夫と別居する前からです。結婚してからずっとそうなんです」

「だから？」

留美は小さく息を吸った。

「春枝の心が冬だったんだと思います。ずっと長い間、かじかんでいたのだと思います」

倉石は曖昧に頷いた。完全に納得した顔ではなかった。

留美には確信があった。絵葉書だけで結論を出したのではなかったからだ。

倉石の机には、膨大な数の捜査資料が山積みになっている。百人からの捜査員が日々掻き集めてくる「春枝情報」だ。留美もその大半に目を通した。

冷えきった夫との関係。喧嘩が絶えなかった姑との仲。子供の育て方。近所付き合い。友人知人との行き来。よく行っていた店。よく買っていた惣菜。別居後の生活。パート勤めの評判。同僚に漏らした愚痴、姑にべったりの子供たち……。

春枝が婦警を辞めてからの十年間。その生活のすべてがここにある。あらゆる情報が春枝の落ち込んだ深い孤独を語っている。春枝は受け入れてもらえなかったのだ。だから浸《ひた》ることができなかったのだ。町井の家にも、妻や母として生きることにも。

絵葉書は、春枝が発した「SOS」だったのだと思う。それを誰一人、まともに受け止めていなかった。留美も含めて誰も。

だから、やはり言わねばならない。今日こそ。

留美は背筋を張った。

「調査官――」

「何だ？」

声だけが返ってきた。

「いつまで捜査を続けるんですか」

倉石は書類から目を離した。

「結論が出るまでだ」

有無を言わさぬ強さがある。が、留美は引かなかった。

「もう結論は出ています。町井春枝は孤独に堪えかねて自殺した。そのことは、毎日、報告書を読んでいる調査官が一番よく知ってるはずじゃないですか」

倉石は資料に目を戻した。

留美は顔に熱を感じた。言葉が堰《せき》を切った。

「わかっています。一課の人も鑑識の人もみんな知っています。春枝の自殺の理由をちゃんと突き止めるために調査官が殺しだと言ったこと。あの時、現場に警務部長から電話が掛かってきました。部長は騒ぎを大きくするなと調査官に言いたかった。春枝が元婦警だから話が外に漏れるのを恐れていた。あの場で調査官が自殺だと断定したら捜査は完全に打ち切られていた。だから調査官は殺しだと嘘を言って百人の捜査員を動かした。でも、それって本当に必要なことだったんでしょうか」

留美は宙を見つめた。

「私、ちょっと息苦しくなってきました」

倉石が目の端で留美を見た。

「なぜだ？」

「もうこれ以上、春枝を裸にしたり、解剖したりすることが、です」

「だったら下りろ」

留美は食い下がった。

「教えて下さい。なぜこうまでして春枝のことを調べるんです？　これ以上、もう何も出てきませんよ。春枝は町井の家に嫌われて、追い出されて、子供にも会わせてもらえなくて、本当に独りぼっちになってしまった。だから自殺したんです」

「口紅はどう説明するよ？」

倉石は資料に目を落としたまま言った。その直後に右手の電送室から内勤の声が飛んだ。

「調査官、富田署から臨場要請です！」

「モノは？」

「寝たきり老人の変死です。少々不審な点があるようで」

倉石は舌打ちして立ち上がった。

「行くと言っておけ」

留美も慌てて席を立った。

「調査官、口紅って何です？　春枝がつけていた口紅のことですか」

「別館の裏に車を回せ！　ブン屋にヅカれるな」

「調査官！」

「うるせえ。耳元で怒鳴るな」

「教えて下さい、口紅のこと」

「じきわかる。いま詰めさせてるところだ」

「わかりません。いったい何を――」

机の電話が鳴った。倉石が素早く取った。数分の通話だった。

受話器を置いた倉石は、険の消えた目で留美を見た。

「口紅の贈り主が割れた」

すぐには頭に入ってこなかった。

贈り主……？　プレゼント……？

「誰が……？」

「国広輝久《くにひろてるひさ》だ」

留美は言葉を失った。

十年前、三人の婦警が恋の鞘当てをした、あの機動隊の彼——。

留美は机に手をついた。目眩に襲われていた。

春枝はまだ彼のことを……。

そんなことって……。

受け入れられなかったのではなかった。春枝は町井家に浸ろうとしなかった。落合春枝のままだった。彼のことが忘れられなかったから……。

一瞬にして変貌した事件の風景に留美の思考はついていけなかった。

ハッとして倉石を見た。受話器を取り上げたところだ。番号をプッシュしている。刑事部長の内線番号。そう見えた。

「町井春枝の件、他殺の所見は撤回する——そうだ、自殺だ——これから富田に飛ぶ。始末書は戻ってから書く」

受話器を置くなり倉石は大股で歩きだした。ドアへ向かう。

留美はその細い背中を見つめた。

黒星。

九年近い検視官生活で初めての黒星。留美は走った。廊下で倉石に追いついた。

「調査官──」

「何だ？」

倉石は足を止めない。

「なぜ？　春枝のためになぜそこまで？」

言った瞬間、二人の仲を疑っていた。

留美は激しく頭《かぶり》を振った。

「調査官──」

「部下だからだ」

留美の足が止まった。

倉石の背中がどんどん遠ざかる。

追えなかった。もう追う必要がなかった。

十年前の、たった一月の鑑識課勤務──その春枝を倉石は「部下」だと言い切った。

階段に倉石の姿が消えた。

ひょっとすると男は二通りだけではないのかもしれない。ぼんやりと思いながら、留美は
無人の階段をしばし見つめた。

7

「あ、いたいた！　倉石さーん！」

「あ？　なんだ、てめえか」

「大変ごぶさたしてました——あれ、小坂さんも？」

「はーい、元気ィ？　留美って呼んで」

「ちょ、ちょっとヤバくないですか。そんなにくっついちゃって」

「だって今夜抱いてもらうんだもーん。ねえ、調査官」

「臭い女は御免だ」

「ひっどーい！　あたし、臭くなんかないですよオ！」

「ションベン臭ぇんだよ」

「わ！　言ってくれる。あたしもう三十一なんですからね」

「ぺえぺえの小娘じぇねえか。五年十年イロ磨いてから出直してこい」

「キャア、嬉しい！」

「あ、あの……倉石さん」

「何だ？」

「少し痩せました？」

「ガキの頃から変わらねぇよ。これ以上痩せたら墓場行きだ」

「あれ？　あの奥にいる人、一ノ瀬さんじゃありません？」

「銀座でばっか飲んでると場末が恋しくなるんだとよ。それより何の用だ？」

「あ、そうそう、ちょっと聞きたいことがあって」

「聞こえねえ。もっとでかい声で喋れ」

「はい。けど、このカラオケ何とかなりませんかね。騒音防止条例の大違反ですよ」

「ホトケを担いだ日は騒ぐんだ。第一、ここんちはブン屋とのミックスゾーンじゃねえ。鑑識の隠れ家だ」

「隠れ家じゃなく、この店の名前、『かくれんぼ』でしょ。だから僕が鬼ってことで」

「減らず口を叩くな」

「そうだあ！　調査官、もっと言ってやって、言ってやって」

「なんかやりにくいなあ。小坂さん、もう目が開いてませんよ。帰って休んだほうがいいんじゃないですか？」

「うるさーい。人の恋路の邪魔するやつはションベンして寝ろオ」

「ハハハッ、まいったな」

「いいから座れ。何が聞きてえんだ？」

「いろいろあるんですが、まずは今日担いだホトケの話ですよ。それって富田市の寝たきり老人のことですよね？」

「右手足はちっとは動いてたんだ」

「ええ、聞きました。それが決め手で自殺だと断定したんですよね。けど、あんなこと、自分一人でホントにできます？　布団から這いだして、自分の首に洗濯ロープを巻きつけ、そのロープの端をタンスの引き出しの金具に縛って、それから——」

「その引き出しを八分目ほど引き出しておいて、動くほうの右足で引き出しの中央部分を蹴って閉めた。それと同時にロープがピンと張り詰め、首が締まって窒息死した——どこが疑問だ？」

「だから、そんなこと、半分寝たきりの老人ができますかね？」

「強い意思があればな」

「第一、そんな方法で死ねるんですか」

「頸動脈は体重の五パーセントの圧力が掛かれば血流が止まる。あれで十分だ」

「うーん、なんか信じがたいなあ」

「じゃあ、どうやって爺さんは死んだ？」

「あれですよね、調査官が臨場した時には、ロープとかもう片づけちゃった後だったんですよね？」

「そうだ」

「家族がそうしたんでしょ？」

「発見した息子夫婦が首からロープを外した。爺さんは真新しい浴衣姿で、きちんと布団に寝かされてた」

「その息子夫婦なんですが、ずいぶんと金に困ってたみたいですね。息子は建設会社をリストラされ、奥さんはリウマチで通院してるんで」

「らしいな」

「死んだ老人は五百万ほど生命保険に入ってた。息子夫婦には大金ですよね？」

「だろうな」

「それに息子は沖縄に行きたがっていた。大学時代の先輩がビルの防水加工の仕事をしていて、来いと言ってくれていた。けど行くに行けない。寝たきりの父親がいるから」

「ああ」

「保険金と厄介払いの一石二鳥。そう考えるほうが自然なんじゃないですか」

「俺のとは違うな」

「おっと、ここできますか。でも状況は真っ黒ですよ。それに右手足が動くからってだけじゃ、自分でもやれる証明にはなっても、誰がやったかの証明にはならないでしょ。可能だ、というのと、実際にそうした、というのは違うわけですから」

「確かにな」

「じゃあ、なぜ自殺と視たんです？」

「聞いたって記事にならねえぞ。名もない年寄りの自殺だ」

「そうでも知りたいんですよ、本当のことを。あの、これちょっと現場で小耳に挟んだんですが……」

「何だ？」

「怒らないで下さいね」

「聞かなきゃ怒れねえ。言え」

「倉石さんは老人の部屋に入ってすぐ自殺だと決めつけた。老人の首と引き出しの金具をちょっと見ただけだった――そうなんですか」

「だったらどうした？」

「首の索条痕は、絞め殺したものを首吊りだと言い張ったりすればロープの痕跡のカーブとかでバレるけど、老人が寝ているところを絞めたのなら、引き出しを使った自殺方法と区別がつかないってこともあるんじゃないですか」

「あるな」

「でしょ？　引き出しを使って自殺したことにしようって息子夫婦が最初から決めていれば索条痕もうまくつけられるし、当然、引き出しの金具にも完璧な痕跡を残せますよ。要するに、首と金具を見ただけじゃ自他殺の判定はできない。そういうことでしょう？　なのになぜ――」

「見たんじゃねえ。嗅いだんだよ」

「えっ……？」

「部屋に入ってすぐ、室内の臭いを嗅いで判断したってことだ」

「ど、どんな臭いがしたんですか」

「何も臭わなかった」

「臭わなかった……？　それで自殺だと？」

「そうだ」

「わかりません。どういうことです？」

「悲しいかな、老人臭ってやつは強烈なもんなんだ。寝たきりになればなおさらな。だが、あの部屋は臭わなかった」

「あ……」

「見事に無臭だったよ。浴衣を着替えさせたり、窓をちょっと開けたりしたぐらいじゃ老人の部屋の臭いは消えてくれねえ。日々、陽を入れ、風を通し、老人の体を綺麗に拭いてやってこその無臭ってことなんだ」

「……」

「あの爺さんは息子夫婦に大切にされてた。だから爺さんは満足に動けない体で引き出しを蹴ったんだ。息子夫婦を沖縄に行かしてやりたくてな」

「……」

「おい、どうした?」

「……」

「馬鹿野郎、いちいち事件で涙ぐんでりゃあブン屋なんか務まらねえだろうが」

「あ、はい……すみません」

「わかったら飲んで騒げ。ここんちはそういう店なんだ」

「ありがとうございます——あ、本格的に寝ちゃいましたね小坂さん。なんか、ずいぶん飲んでたみたいだったけど」

「町井の件は耳に入ってるんだろう?」

「ええ」

「同期だったからな」

「そっかあ。じゃあショックだったでしょうね」

「ああ」

「調査官も散々でしたね。初黒星で」

「仕方ねえ。あれは自殺だったからな」

「けど、みんな調査官がわざとそうしたって……。いや、今日はもうやめときます。俺も歌っていいですか？」

「好きにやれ」

「けど……」

「何だ？」

「結構可愛いですね、小坂さんの寝顔」

「お前どうだ？」

「えっ？」

「ちょっとションベン臭いがいい女だ。東京に戻る時に連れていけ」

「あ、それ誰かにも言われたなあ……」

「何だそのツラは。不服か」

「いや、そうじゃなくて、えーと、東京に連れてけの話じゃなく……なんか倉石さん絡みで重要なことを忘れてるような……。あ、そうそう、思い出しました」

「何だ？」

「ご近所一同から、ゴミは指定日に出せとの伝言です」

十七年蟬

1

夜明け前の国道に車はなかった。

ハイビームのヘッドライトが闇を切り裂く。永嶋武文《ながしまたけふみ》は荒ぶる手でスロットルを開いた。

エンジン音が変わる。唸りを上げる。艶消しブラックのナナハン。ノーヘル。背中には朱美《ことみ》が張りついている。両腕を永嶋の腹の辺りに回している。怖がりだから、その細い腕に精一杯力を込めてしがみついている。

時速百キロを超えた。風圧で頰の肉が震えだす。なおもスロットルを開く。視界が狭まる。口の端から漏れ出た唾液が真横に線を引いた。朱美と二人、どこへだって行けそうだった。親も家も学校もないところ。別世界や異次元にだって。

フルスロットル。メーターの針がジリジリと上がっていく。百十……百二十……百三十……百四十！　振動。恐怖。恍惚。腕も足も脳までが痺れていた。

朱美が耳元で何か叫んだ。

大好き。

きっとそう言った。

腹の辺りにあった圧迫感が、ふっと失われた。朱美が腕の力を緩めたのだ。永嶋に伝えたがっている。

もう怖くなんかない。一緒なら死んだっていい——。

2

L県警刑事部捜査第一課。高嶋課長は倉石の目を覗き込むように見た。

「十七年蟬……？　何だ、それは？」

倉石はソファに深く腰を沈めていた。

「北米の話だ。十七年に一度、蟬が大発生を繰り返す。学者連中の言葉を借りりゃあ、希釈効果を高めようとする本能的行為ってやつだ」

「希釈効果……？」

「数が多ければ捕食者の餌食になる危険性が薄まる、ってことだ」

「捕食者……。天敵ってことか」

倉石は小さく頷いた。

「蟬にとっての天敵は主に鳥だ。だが膨大な数の十七年蟬に見合った数の鳥は存在しねえ。そんな気まぐれな蟬に付き合って進化してみろ、他の十六年、食いっぱぐれちまうからな」

「なるほど……。十七年蟬の話はわかった。で？　お前は何が言いたい？」

倉石は鼻で笑った。

「課長の俺に言えないことか」

「わからねえのか」

「蟬の話が異動を拒む理由になってるとは思えん。田崎部長がお前を外したがってることは知ってるな？」

「ああ」

「本当のところを言えばな、俺はお前の力を買っている。今年も検視官として残ってもらいたいと思っていた。だが長過ぎることも確かだ。この春に動かなければ十年目に入る」

「らしいな」

高嶋は舌打ちした。

「真面目に聞け。部長は『終身検視官』という綽名《あだな》をひどく嫌ってる。恐れてもいる。今回お前を動かさんと俺の立場もなくなるんだ。わかってくれ。警務と話もつけて署長ポストを用意してある。ここは黙って俺の話を呑め」

「生憎だが呑めねえ」

「なぜだ？」

「俺はな、伊達や酔狂で蝉の話をしたんじゃねえ、ってことだ」

「だったらわかるように説明しろ」

倉石は腰を上げた。

「おい、待て、倉石——」

構わずドアへ向かう。

「倉石！」

首が回った。細めた目。

「よう、いつから捜査一課長は人事屋に成り下がったんだ？」

「なんだと……？」

「ヤマを一件でも多く挙げるのがアンタの役目だろうが」

高嶋は目を剝いて立ち上がった。

「貴様！　だったらちゃんと言え！　何のヤマだ？　俺にわかるように一から説明してみろ。そうすりゃ部長にも話を上げてやる。さあ言え！　十七年蝉とヤマがどう繋がるんだ！」

倉石は歩きだしていた。

「カリカリすんな。いずれわかる。夏になればな」

3

開け放った窓から蟬の鳴き声が滲み入ってくる。七月最終週の土曜日。永嶋は昼を過ぎても起き出せずにいた。とうに目覚めてはいるのだが体を起こす気がしない。ワンルームのパイプベッドに寝そべったまま煙草のヤニで黄ばんだ天井をぼんやりと見つめていた。

体だけでなく脳にも疲労が溜まっているのがわかる。先月末に季節外れの辞令を受けた。刑事部捜査第一課調査官心得——ひとことで言うなら、検視官の運転手をしながら検視のノウハウを学ぶ見習いポストだ。唐突で不可解な異動だった。L県警巡査を拝命して十五年、永嶋に専門の「畑」はない。所轄の地域課、生活安全課、交通課、刑事課と様々な部署を渡り歩き、同僚たちからは、からかい半分「何でも屋」「器用貧乏」などと呼ばれている。鑑識も齧りはしたが、たった二年間のことだ。普通に考えれば鑑識の専門職である調査官心得に取り立てられるはずがないし、大体からして、そのポストは警部級の人間の指定席だ。なのになぜ三十三歳の巡査部長が起用されたのか。

そんな疑問すら消し飛んでしまうほど忙しかった。本部捜査一課の検視官デスクには、日に数件、県下の所轄から変死事案の電話連絡が入る。所轄の検視班が死体を見て、他殺の疑いが多少なりともあれば検視官に臨場を要請するわけだが、L県警の場合、その要請率が極めて高いのだ。理由は一つ、『終身検視官』の存在の大きさにある。過去の実績がものを言っている。所轄が自殺や病死と見立てた多くの事案を殺しと看破し、それに匹敵する数の殺しの見立てを「事件性なし」と覆してきた。所轄はその検視眼に恐れをなし、また大いに依存し、だから死に方が「真っ白」でない限り、平身低頭、倉石調査官に臨場を求めてくる。

そんなわけで、検視官専用車の運転手が県警本部のデスクに腰を落ちつけていられる時間はいたって少ない。西へ東へ、南へ北へと倉石を乗せて車を走らせる。行けば死体が待っている。刺殺体。撲殺体。水死体。焼死体。縊死。轢死。中毒死。感電死。ありとあらゆる「無惨な死」を目にすることになる。なにより死臭が辛い。服に染みつき、皮膚にもうつる。せめて検視の最中は鼻の下にメンタムでも塗りたいところだが倉石は決して許さない。臭気も情報の一つだと言うのだ。それが堪《こた》えた。食がめっきり細くなり、体重は三キロ落ちた。「肉を食って女でも抱いてこい」。倉石はにやりと笑って、異動後初めての休みをくれた。昨夜のことだ。

永嶋はベッドを抜け出た。

ドアチャイムが鳴っている。時間からして早瀬あや子だろうと見当がつく。週末になると時折現れて昼食を作ってくれる。深い関係にはなっていない。あや子は永嶋より二つ年上であることを気にしているふうだ。「大変な仕事なんだから、ちゃんと食べなくちゃ」。そんな台詞を訪問の理由にしてしまった手前もあってか、女というより、姉のような存在を装っている。

が、今日は様子が違った。

ポロシャツを被りながらドアを開くと、唇の両端がつり上がった硬い笑みがあった。上気して頰が赤い。両手に、パンパンに膨れたスーパーのレジ袋を下げている。昼だけでなく夕飯の分も。あや子の姿はそう語っていた。

「お邪魔じゃない？」

いつもの台詞を口にして、あや子はワンルームの奥に眩しげな視線を向けた。互いの異性関係について突っ込んだ話をしたことはないが、やはりどこかで「女の影」を敏感に感じ取っているのかもしれなかった。

「痩せた？」

「ああ、少し」

「ちゃんとした物、食べてなかったんでしょう」

あや子はヒールを脱ぎながら言った。

「お昼、まだよね？」

「ああ、何も。起き抜けだから」

「じゃあ、すぐ作る。冷し中華でいい？」

「悪いね、いつも」

「もうッ」

あや子は笑った目で永嶋を睨んだ。

「そんなこと言わずに放っといて。好きでやってるんだから」

永嶋は座椅子に腰を下ろし、小さなガス台の前に立つあや子の後ろ姿を見つめていた。自然と心が和んでくる。彼女に惹かれている。好いている。それはもう確かなことに思える。

初めて会ったのは二年前だった。軽自動車で自損事故を起こしたあや子の面倒をみた。道路標識のポールをへし折った車は左前部を大破したが、幸いなことに、あや子に怪我はなかった。動揺する彼女を落ちつかせ、保険会社への連絡とレッカー車の手配をしてやった。当時、所轄の事故係にいたからそうしたまでのことで別段印象に残る会話もなかったのだが、今年の三月、交通安全協会主催のキャンペーンパレードで偶然再会し、打ち上げの飲み会を隣同士で過ごした。あや子は県内大手のL銀行に勤めていて、義務的にパレードの応援に駆り出されたという話だった。アルコールの入った彼女はよく喋った。「こう見えても、二十代の頃は花のテラー係だったのよ。それが今じゃ、後方も後方。ま、女子アナと似たようなところがあるんだ、この仕事」。互いに独身であることはその時に知った。

永嶋の目には、三十五歳のあや子が女として十分魅力的に映った。付き合い始めて、生真面目さと愛嬌の同居した好ましい内面が透けて見えるようにもなった。男に手ひどい目に遇わされたのであろうことは、濁す言葉の数々で想像がついた。やがて微かな結婚願望が芽生えた。この女で駄目だったら本当に自分は駄目なのだろう。永嶋は、あや子に対してそんな思いを抱くようになっていた。

「さーて、お口に合いますかどうか」

歌うように言いながら、あや子が冷し中華の皿を運んできた。

食欲はなかったが、永嶋は派手な音を立てて麵を啜った。

「ん。うまい」

「ホント？」

「冷し中華っていろんな味があるだろ。これ、俺の好きな味」

「よかった」

あや子は自分も箸をつけ、だが口には運ばずに早口で言った。

「ずいぶん忙しいみたいね」

永嶋は顔を上げた。あや子の探る瞳が目の前にあった。

すぐに思い当たった。永嶋が休む間もなく死体巡りをしていたこのひと月、あや子は何度もこのアパートを訪ねていたということだ。その都度、不在に溜め息をついた。もう駄目なのかもしれない。そんな思いを抱いたりもしたのだろう。だから今日現れた時の、あの硬い笑みになった。会えたら粘って、夕食も作ろうとたっぷり食材を仕込んできた。そうだった。あや子の上気した顔には、最初から決心というか覚悟のようなものが薄化粧のように張りついていた。

愛しい気持ちが湧き上がった。永嶋はスーパーの袋に目を向けて言った。

「今日は晩飯も作ってくれるの？」

あや子の瞳が揺れた。

「いいの？」

「何が？」

「夜までいて」

「いいさ」

あや子の顔が輝いた。

「ホントに？」

「ホントさ」

「じゃあ、遅くなるから泊めてもらっちゃおうかな、今夜」

「いいよ」

「もう、本気にしちゃうからね」

「しちゃえよ」

「でもなあ、他の女の人とかとバッティングするの嫌だしなあ」

そんな女、いないよ――。

軽やかに言おうとして、だが永嶋の頬は引きつった。取り繕おうと慌て、さらに険しい表情になったのが自分でもわかった。

あや子は皿を洗った後、やっぱり帰ると言い出した。引き止めたがきかなかった。「また来るね」。もともと顔の造りがどことなく寂しげだから、無理して作った笑顔の残像はひどく切なかった。

流しの手前の床にスーパーの袋が残されていた。ごつごつしたその袋が横に崩れて、ニンジンとジャガイモが転げ出た。カレーの具なのか、シチューだったのか。

永嶋はベッドに身を投げた。仰向けに転がって天井を見つめた。

まだ吹っ切れていない。十七年も前のことなのに……。

歳月を度外視した痛みと熱が胸の真ん中にある。

自然と手が腹の辺りにいく。

残っている。確かにまだ、朱美の腕の温もりが。

夏。十六歳。家も学校も腐りきっていた。どこにも居場所がなかった。盗んだバイクを転がしていた。背中にはいつだって朱美が張りついていた。闇を切り裂いてこのまま突っ走れば、どこか別の世界へ行ける。本気でそんなことを考えていた。

もう怖くなんかない。一緒なら死んでもいい——。

思いは永嶋も同じだった。二人は共鳴し、溶け合い、同化していた。

朱美のことが好きでたまらなかった。

びっくりするほど睫毛が長く、大きな瞳はいつも潤んでいるように見えた。頬に小さなホクロがあった。笑うとえくぼが出て、そのホクロがひょいと隠れた。それが面白くて、おどけては朱美を笑わせた。付き合い始めて三月目、朱美が十六歳になった日に抱いた。二人とも初めてだった。それからはもう離れられなくなった。どこへ行くのも一緒だった。毎日のように体を重ね合わせていた。

朱美は周期的に落ち込んだ。家のことでの悩みが深かった。「あたし、私生児なんだ」。そう呟き、永嶋の胸で一晩泣いたこともあった。とっくに民法の条文からも消えていたその忌まわしい単語は、実の母親から刷り込まれたものだった。場末のお茶漬け屋を営んでいた若い母親は、朱美とは似ても似つかぬ、きつい顔立ちの女だった。朱美の父親の名を明かすことはなかったというが、酔うたび捨てられた恨みを撒き散らした。「赤い血が一滴も流れてないんだよ、あいつは」「堕ろせ、堕ろせって脅してさあ、頭のいい男ってのはいざとなると冷酷だよ」。朱美は家に帰りたくないと漏らす日が多かった。ゲームセンターで夜を明かした。駐車中のトラックの荷台で寝たこともあった。冷えきった体を懸命に温め合った。体のすべてを密着させたくて二人ともがいた。

朱美さえいればいい。親も家も学校も何もいらなかった。いつか一緒になり、いつまでも一緒に暮らすだろうと思っていた。そんな未来を微塵も疑ったことはなかった。だが――。

朱美は死んだ。

ケダモノたちに命を奪われた。

永嶋はアパートを出た。

あてもなく車で町を流した。

土曜の午後だ。繁華街は若い男と女で溢れ返っていた。ナンパ狙いだろう、ガードレールに尻を乗せた男たち。茶色や銀色や赤い髪……。

永嶋は口の中で呟いた。

「てめえら……まとめてぶっ殺してやる……」

4

午後五時を回っても陽は高い。降るような蟬の声が暑苦しさを上塗りしている。

剣崎中央署の捜査係長、福園盛人は人待ち顔で仲井川公園の入口に立っていた。剣崎市内で最も大きい市民公園だ。その奥のアスレチック広場で工業高校三年の男子生徒が射殺体で発見された。県警本部強行犯係の刑事や機動捜査隊の一団が福園の傍らを走り抜けていく。殺しの捜査は本部主導だ。所轄の捜査係長にしてみると、自分の家を土足で荒されているような気分になる。

福園は太く短い首を何度も伸び上げ、駐車場の方向を警戒していた。待ち人は五分ほどして現れた。槍を思わす細い体が鈴なりの捜査車両の合間を縫ってくる。

福園は威勢よく手と声を上げた。

「お疲れさまです！　校長、こっちです！」

倉石の仏頂面が近づいてきた。舌打ちの乾いた音。

「フク。その校長ってやつ、いい加減やめねえか」

「いやあ、今さらどうにもできませんよ。校長はやっぱ校長ですから」

また舌打ち。

「ガキの身元は割れてるのか」

急に言われて、福園は慌ててメモ帳を取り出した。

「大崎勝也《かつや》。十八歳。Ｌ工業高校の三年に在籍していますが、ほとんど学校には行ってません。かなりのトンデモ野郎で、街の売人から仕入れたスピードやトルエンを後輩連中に売りさばいていたらしいですよ」

「随分と情報が早えな」

「それぐらい有名な不良だったってことでしょう」

「そのクズガキが何だって市民公園なんかにいた？」

「単車を転がしてたんですよ。公園は乗り入れ禁止だから面白がって。土曜でギャラリーが多いと思ったのかもしれませんね」

「一人でいたのか」

「ええ。やられた時は一人でした。仲間を待ってたようですけど」

「マル目は？」

「今のところゼロです」

「ギャラリーが大勢いたんじゃねえのか」

「この公園の広さは半端じゃないですからね。野球場十個分ほどの広さがあります。それに現場は一番奥のアスレチック広場なんです。大崎は隅のベンチで一服してるところを撃たれたらしくて――」

「ホトケの話はいい。拝んでからだ」

倉石は公園の遊歩道を歩きだした。福園も続いた。

「校長、今日は一人ですか」

「ああ」

「永嶋ってやつは？」

「休みだ」

「呼んでないんですか」

「今さっき携帯で連絡がついた。おっつけ駆けつけるだろうよ」

「校長、いくらなんでもあいつはないでしょう」

ここぞとばかり福園は言った。このひと月、腹に据えかねていたのだ。

「何であんな便利屋みたいな男を心得に引っ張ったんです？　捜査や鑑識についちゃ、まったくのトーシローでしょうが」

「だな」

「しかもまだペッペの部長だ。検視官見習いには早すぎる。何だって俺を呼んでくれなかったんです？」

「てめえだって、ホだろうが」

「巡査部長よりはマシでしょう。警部補ならカッコがつくってもんです」

「カッコでやる仕事じゃねえ」

倉石は噴水の階段を下りていく。福園はなおも食い下がった。

「しかし、よりにもよってでしょう。なぜ永嶋を選んだんです？　やつは『改心組』だっていうじゃないですか」

不良あがりで警察官になった者をそう呼ぶ。

倉石はふんと鼻を鳴らした。

「改心組だろうがキャリア組だろうがサツ官はサツ官だ」

「そりゃあそうですけど……。いやね、ちょっと小耳に挟んだんですよ。永嶋のやつ、十六の時に凶器準備集合罪で家裁送りになってるって。改心組とはいえ、よくサツ官になれましたよね。みんな不思議がってます」

倉石の下に永嶋がついたことへの不満は、「生徒たち」全員に共通している。

「家裁の結果も聞いたのか」

「いや、そこまでは」

「審判不開始の決定だ。問題ねえだろう」

「それにしたって凶器準備集合ってのは物騒だ。一体やつは何をやらかしたんです？」

「知らねえ」

「もう！　惚けないでくださいよ。校長が知らないはずないでしょうが」

「当時の駐在がよく面倒をみたってことだ。女みてえな詮索はよしとけ」

血相を変えた刑事たちが二人を追い越していく。凶器が現場にない射殺体ということで九分九厘殺しと決まっているわけだから、自他殺の判定を最大の職務とする検視官にとって、とりわけ到着を急ぐ現場ではない。

福園は倉石の横顔を盗み見た。どうにも合点がいかない。思いつきで畑違いの人間を部下に据えたとは考えにくい。職務の効率を落としてまで永嶋を引っ張った。やはり何らかの理由があるのだろうが、それが皆目わからない。

規制線は二重に張りめぐらされていた。高校生が白昼射殺されたのだ、報道陣の数は尋常ではなかった。野次馬も多い。大半は公園に遊びにきていた市民だから、バドミントンのラケットを手にしたカップルや犬の散歩綱を引いている老人もいる。

倉石と福園は第二規制線を跨いだ。その先に捜査関係者の一団が蠢いていた。青いビニールシートでテント状に目隠しを施された一画。金網フェンス沿いのベンチが射殺現場だった。

倉石が近づくとモーゼの前の紅海のごとく人垣が左右に割れた。いや、たった一人、道を開けずに倉石を凝視した男がいた。

捜査一課刑事指導官、立原真澄《たちはらますみ》。倉石と同期の五十四歳。本部の「刑事頭」とでも呼ぶべき立場にあるが、ここ一、二年は休職に近い状態を余儀なくされた。原因不明の目眩に苛まれ、歩くこともままならなくなったからだった。

福園は歩を遅らせた。倉石と立原は捜査一課の双璧をなす。互いの力量を認め合っているという話だが、その二人のニアミスには決まって青白い火花が散る。

「よう、倉石。課長に聞いたぜ。何やら企んでるらしいじゃないか」

「てめえこそ、回らねえ頭を回そうとすると、また目眩に足元すくわれるぜ」

「ハッ、言ってくれるな──まずはたっぷり拝め。自殺や病死だったら教えてくれや」

皮肉っぽく言って立原はビニールシートの角を捲った。

木製ベンチのすぐ手前に、金髪を針鼠のように尖らせた若い男がうずくまるようにして倒れていた。その大崎勝也はジーパンにデニムのシャツの軽装だった。首の後ろ、頸骨の左に黒ずんだ射入口があるのが目に止まる。一メートルほど離れたところに改造を施したバイク。辺り一帯、多数の鑑識係員が地面に這いつくばってじわじわ動いている。弾丸は大崎の首に留まらず貫通したということだ。

「すみません。遅くなりました」

声に振り向くと、顔を紅潮させた永嶋が駆け寄ってきたところだった。息が上がっている。福園は横を向いた。会うのは初めてだったが、嫉妬と嫌悪が胸につかえて名乗る気にもならない。

倉石は口の端で笑った。

「女を食ってきたか」

「いえ……」

「お前はいい。線の外に戻って野次馬を観察してろ」

「はっ……？」

永嶋は瞬きを重ねた。

「野次馬のツラを見て歩け。見覚えのあるやつがいたら知らせろ」

「わ、わかりました……」

永嶋は困惑の表情を残して消えた。

福園は首を傾げた。野次馬？　愉快犯なら現場に留まっている可能性は確かにある。しかしなぜ永嶋に「見覚えのあるツラ」を探させる？　この事件と永嶋に何か繫がりがあるとでもいうのか。それとも単なる厄介払いか。使えない男だとわかり、検視の邪魔にならぬようにと——。

「フク、始めるぞ」

「はいッ」

思わず歯切れのいい返事になった。少なくとも福園は必要な部下とみなされている。

二人は射殺現場に足を踏み入れた。倉石は死体のわきを通り過ぎ、一番奥まったところのシートを捲った。金網のフェンスが現れた。その向こうは幅員四メートルほどの市道。その市道のさらに向こうを仲井川が流れている。

「ベンチとの位置関係からみて、ホシは市道から金網フェンス越しに大崎を撃った可能性が高いですね」

福園は自信満々言った。ベンチとフェンスの間は二メートルほどしかなく、そこには膝下ぐらいの夏草が生い茂っている。その草をかき分けて背後に回ったのでは嫌でも大崎の関心を引く。警戒心だって呼び起こしかねない。なにより、フェンスの中から撃ったとするなら、犯人は銃を持ったままこの広大な公園を突っ切って出口を目指さねばならない。

「逃走のことを考えたら、中では撃てませんよね」

念押しの思いで言葉を足すと、倉石は微かに頷き、自分の歩幅でベンチまでの距離を測った。

「二・二メートルってとこだな……」

倉石はボソッと言い、死体の傍らに片膝をついた。福園もそうした。

死体の首筋を覗き見る。喉仏のすぐ右上辺りに破裂状になった射出口があった。出血は少なく既に凝固している。

倉石はバッグからメジャーを取り出し、死体の頸部や足、背中などに当てた。ベンチの高さも測った。しばらくその作業を繰り返した後、おもむろに立ち上がった。

「射入方向はほぼ水平だ。大崎の座高、射入口、ベンチの高さを計算に入れると、射入の高さは地上約九十センチ。ホシの身長にもよるが、おおよそ腰だめの位置だ」

「なるほど、ホシは腰だめの構えで撃ったんですね」

「進歩のねえ野郎だな」

「えっ？」

「フェンスの向こうから腰だめで頭や首を狙うのはプロだって難しい。おそらくは車の中から窓を下げて撃ったんだろうよ。両手撃ちでしっかり狙ってな」

「そうか！　車の座席位置は立っているより低いし、窓枠で肘を固定できますもんね」

「早合点すんな。ホシが市道に立って両手撃ちした線もないわけじゃねえ」

「なぜです？」

「大崎が前屈みにベンチに座っていたってことも考えられるだろうが。そうすりゃ、上から撃ち下ろす恰好になって、射入方向も水平になる」

福園は一寸考え倉石を見た。

「ですが、やっぱり車からのほうがいい線ですよね。人目のことなんかも考えれば」

「まあな」

倉石は地面を舐める鑑識作業に目をやった。

「立って撃ったなら、角度からして弾は大崎のすぐ前に着弾してるはずだ。まだ見つからねえところをみると、車の窓からの水平撃ちだったってことだろうよ」

福園は手を打った。

「校長、車の中からだとすれば、外車の可能性が高いんじゃないですか？　左ハンドルならフェンスにぴったり寄せられますよ」

「車を逆方向につけるとか、国産の助手席から撃ってもこの現場になる」

「でも外車だと繋がりますよ。外車とチャカ。そうくりゃあ、やっぱりホシは筋モンに絞られますね」

「金に不自由してないやつ。そういう見方もできるだろう。きょうび、堅気の人間がチャカを手に入れるのはわけねえ。どこのマル暴事務所も現金収入に飢えてやがるからな」

「けど、スピードやトルエンの売買で揉めて撃たれた。そのほうが読み筋としては自然じゃないですか」

「相手はガキだぞ。脅せば事足りる」

「確かにそうですが」

「決めていた標的を狙った仕業じゃねえ。車で流しながら適当な獲物を探していた。そのほうがピンとくる現場だ」

福園は妙な気分になった。強引な物言いに思えたのだ。倉石は頭から「一般人」による「流し」の犯行と決めつけているふうだ。言葉の端々に推測と誘導も感じられる。思い込みを忌み嫌う倉石の口から「ピンとくる」なる言葉が出たのも初めてのことだった。

靴音がした。気づいた時には永嶋が倉石に歩み寄っていた。

「見覚えのあるツラはあったか」

「いえ……ありませんでした」

「そうか。ご苦労」

「調査官」

永嶋が真顔で言った。目元に不信感を漂わせている。

「わかりません。なぜ調査官が野次馬の中に私の顔見知りがいると思われたのか」

「顔見知りとは言ってねえ」

「では、どういうことです？」

倉石は答えず、先ほどと同じように死体の脇に片膝立ちになった。大崎のシャツのポケットを指で引っ掛けて中を見た。煙草とライター。それだけだ。倉石はジーパンのポケットを探り始めた。オートバイのキー。財布。バンドを取り外した丸形の腕時計……。

福園は伏し目がちに倉石と永嶋を交互に見た。嫌な空気だった。永嶋の疑問は福園の疑問でもあった。倉石の心がまったく読めない。

その倉石は思いがけない行動にでた。バッグから開口器とペンライトを取り出した。大崎の口を開かせ、喉の奥に向けてライトの光を当てた。丹念に観察している。

「校長」

福園はたまらず声を掛けた。返事はない。

倉石が開口器を外した時だった。立原指導官が歩み寄ってきて言った。

「よう、蟬は見つかったか」

倉石は目線を上げた。

「ねえようだな」

「当たり前だ。十七年蟬なんてのはお前の妄想だ」

十七年蟬——。

立原が発した単語に福園は息を呑んだ。耳にしたことがある。そうだ。何年も前に、ひどく酔った倉石が口にしたのだ。

〈十七年蟬は殺しの蟬だ。十六年ほとぼりをさまして、十七年目にまたやる。フク、見逃すんじゃねえぞ〉

鼓膜が何かを感じて福園は横を見た。

永嶋の息づかいだった。

顔が紙のように白かった。唇が微かに震えている。

福園は直観した。

十七年蟬。その単語が永嶋の息をこうまで荒くさせている——。

5

熱帯夜になった。

永嶋がアパートに戻ったのは午前零時近かった。エアコンのスイッチをつけ、着替えもせずにベッドに転がった。

仲井川公園の後、県北部と西部の二つの現場に臨場した。二件とも自殺だった。西部の現場が目に焼きついている。下着だけを身につけ、バスタブの中で手首を切った二十三歳のOL……。切ったほうの手が湯船に沈んでいたから、真っ白いOLの体は血の池にでも漬《つ》かっているように見えた。所轄が臨場要請を掛けてきたのは遺書も「ためらい傷」もなかったからだった。倉石は脱衣所にあった服のたたみ方とタンスの中のそれとの一致を根拠に自殺と断じた。そして、OLの左手首にたった一本引かれた、真っ直ぐで深いカミソリの傷を見つめて言った。「この世にまったく未練がなかったってことだろうよ」——。

朱美もそうだったのだろうか。

永嶋はうつ伏せになり、枕に頬と鼻を強く押しつけた。頭が混乱していた。今日も幾つもの死体を目にした。仲井川公園では倉石に奇妙な命令を受けた。「見覚えのあるツラ」。あれはいったい何だったのか。そして立原指導官が口にした「十七年蟬」だ。高校生の殺害現場で、なぜあんな会話が交わされていたのか。

〈ねえ、タケフミ。十七年蟬って知ってる?〉

朱美がしてくれた話だった。

〈すごいんだよ。十六年間ずっと土の中にいてね、十七年目にやっと蟬になって飛ぶの。ねえ、それって、やっぱりすごいよね。だって、あたしたちが今まで生きてきたのと同じだけ土の中にいるんだよ。あたし、そんなのやだなあ。きっと暗いし、怖いし、息苦しいし、耐えられないよ。ああ、人間でよかった。タケフミとも知り合えたし。ね?〉

朱美の寿命は十七年蟬よりも短かった。

そのあまりに儚い人生を彼女はどう生きたろう。青空の下を飛び回っていたと言えるだろうか。土の中にいたまま一度も羽を広げることがなかった。そう思えてならない。

目を閉じれば朱美がいる。

暗闇の中から浮かんでくるのは、いつもの愛くるしい笑顔だ。えくぼが出ていて、だからホクロは隠れて見えない。

その笑顔はケダモノどもに消された。

中学時代の同級生に電話で誘い出された。「彼女ができたからプレゼント選びに付き合ってほしい」。もっともらしい嘘に騙され、男のバイクの後ろに乗った。着いた先は、不良連中が溜まり場にしていたアパートの一室だった。輪姦された。八人の男たちに代わる代わる乗られた。朱美は生理の最中だった。男たちはそれを喜んだ。いくら中でぶっ放しても孕まねえぞ、と。

二日後に永嶋は知った。もう会えないと泣きじゃくる朱美から無理やり聞き出した。ごめんなさい。朱美は幾度その言葉を繰り返したろう。木刀を握り締めて男たちの溜まり場に踏み込んだ。一声も発しず、瞬きもせずにただ木刀を振り下ろした。何度も。何度も。何度も。男たちの悲鳴や懇願の声は聞こえなかった。骨の折れる音なら嫌というほど耳にした。全員が動かなくなり、ボロ雑巾のようになるまで木刀を振るい続けた。

血染めの木刀をぶら下げて歩いているところを駐在員に補導された。数日して永嶋のしたことがわかったが、結局、傷害罪には問われなかった。男たちが仲間うちの喧嘩だと駐在員に言い張ったからだった。永嶋に襲われたのだと話せば朱美を輪姦したことも発覚する。だから黙した。ケダモノどもの性根は、どこまでも腐りきっていた。

それからはずっと朱美のそばを離れなかった。毎日、バイクで家まで送り届けた。朱美が可哀相でならなかった。抱いてやりたかったが逡巡した。愛情ではなく性欲。ケダモノどもと同じ行為。朱美にそう思われるのを恐れていたようなところがあった。

ひと月が経った。朱美は徐々に明るさを取り戻しているように見えた。ある日朱美は、一人でバスで帰ると言いだした。

〈ホントに平気だってば。たまにはバスにも乗りたいの。だって定期買ったのにほとんど使ってないんだよ〉

その言葉を真に受けた。安堵の思いとともに解放感もあった。腫れ物に触るようにずっと朱美に接し続けていたから、心も体もくたくただった。

朱美は笑みを浮かべていた。

〈じゃあね、タケフミ——バイバイ〉

〈ああ、また明日な〉

だが、「明日」はなかった。

夜中に朱美の母親が電話を寄越した。金切り声だった。

《あんた、朱美に何したの！》

バスタブで朱美が手首を切った。母親が発見した時には手遅れだったという。バイクで飛んで行った。靴も脱がずに家に駆け込んだ。廊下で、目深にキャップを被った鑑識係員に止められた。しゃにむに抵抗したが諸手で外に突き出された。だから現場は見ていない。きっと今日のOLのようだったのだろう。自分の血で真っ赤に染まったバスタブの中で朱美は……。

柩に納まった朱美は眠っているように見えた。頰にホクロがあった。朱美を笑わせたかった。えくぼでホクロを消してやりたかった。

〈あんた、朱美に何したの！〉

母親の叫び声は後々まで尾を引いた。

何もしなかったから朱美は死んだ。そう思うようになった。輪姦されてからひと月、朱美を一度も抱かなかった。求めるのは酷に思えたから。ケダモノたちと同類に思われたくなかったから。だが、本当にそれだけだったか。

汚れた体――。

まったくなかったと言えるだろうか。そんな視線を朱美に向けたことは、ただの一度もなかったか。

なんで簡単に男のバイクに乗った？　朱美を責める気持ちが胸のどこかにあった。だから何もしなかった。朱美を抱いてやらなかった。朱美は待っていた。何も言わずにひと月待っていた。永嶋の心を見つめていた。そして――。

〈じゃあね、タケフミ――バイバイ〉

永嶋は手の甲で涙を拭った。

アパートを出て車に乗り込んだ。

歓楽街の派手派手しい電飾が目に痛かった。熱帯夜に浮かされるようにして、街のそこかしこに、崩れた出で立ちのケダモノどもが群れをなしていた。

6

高嶋捜査一課長は目線を上げた。生気のない倉石の顔が近づいてくる。

「よう、顔色が冴えないな。立原も言ってたぞ。今度は倉石が病院暮らしをする番だ、ってな」

「呼んだんだろう。用件を言え」

「まあ座れ——立原に調べさせた。お前が言ってた十七年蟬の意味がわかった」

「ほう、どうわかった？」

「三十四年前の板金工変死事案。十七年前の専門学校生撲殺事件。そして昨日起きた高校生射殺事件。お前はこの三つの事件を線で繫ごうとしている。そうだな？」

倉石はソファに腰を降ろした。

「随分と簡単に言ってくれるな」

「正直なところ失望した。部長の反対を押し切ってまで残留させたのにな」

「アンタだか立原だかの見立てを言ってみろ」

「確かに共通点はある。三つの事件とも死者が未成年であること。見てくれが不良そのものだったこと。この二点だ。逆に言うなら、この二点以外に共通点はないということだ」

「三件とも未決。そのことも忘れるな」

「大雑把な言い方はよせ。三十四年前の板金工の変死は殺しじゃない。睡眠薬の飲み過ぎによる中毒死だ」

「当時の検視官はそう視たようだが、焼殺の可能性も捨てきれねえ」

「アパートは全焼した。死体が焼けたことは確かだが、俺は当時の記録を見たことがある。板金工は死後に火災で焼けた。こいつは動かん」

「出火原因は不明だったはずだ」

「焼殺だと言い張るのなら理由を言ってみろ」

「死体は典型的な闘士型だった。皮膚に水疱と発赤。生体を焼いた証拠じゃねえか」

高嶋は声を上げて笑った。

「ハハハッ！　お前らしくもない。忘れるなよ、俺も検視官を四年やったんだぞ——いいか、板金工の気管には煤煙の吸引がなかった。代わりに胃には大量の睡眠剤だ。要するに死んで間もない時間に火災が起こった。皮膚組織はまだ生きていたから水疱や発赤といった生活反応が顕《あらわ》れた。極めて合理的な検視結果だろうが。いったい何が不満だ？」

倉石は腕を組んだ。

「喉に詰まっていた蟬の脱け殻はどう説明するんだ？」

「そう、それだ。お前の妄想のたった一つの砦だ。ホシが犯行を誇示するために詰めた。そう言いたいんだろう?」

「こっちの質問に答えろ」

「わからんよ。当時、散々調べてわからなかったんだ。まあ、まじないか何かだったんじゃないのか。地方によっては蟬の脱け殻を煎じ薬にしてるところもあるらしいしな」

「丸ごとだぞ」

「アジアじゃ食用にしているところだってある」

「これから死のうって時に蟬を食うか?」

「だから死後どうのこうのっていうまじないだ。さもなきゃ、睡眠薬で朦朧として口に入れたかだ」

「殺してから喉に押し込んだ。喉に押し込めば焼け残る。ホシ的には確実にメッセージが残せるってことだ」

高嶋は荒い息を吐いた。

「だったらどうだって言うんだ。おい、三十四年前の事件なんだぞ。時効が二回来て、お釣りまできちまってるんだ」

「十七年周期ってのはよくできた話だ。十五年で時効が完成して、最後まで粘ってたデカも散り散りにされる。そのヤマは一気に風化し、振り返る者もいなくなる。つまりは蟬を食う捕食者が存在しないってことだ。その空白を突いて次のヤマを踏む」

「こじつけはよせ。どこをどうついたところで三つの事件は繋がらん。撲殺された専門学校生の喉に蟬が詰まっていたか？　今回の高校生はどうだった？　なかったろうが。だいいちな、板金工が万一殺しだったとしてもだ、あれから三十四年経っているんだぞ。ホシが当時二十歳だとしても五十四だ。そんなロングスパンの犯罪なんて考えられんし、考えてたら捜査なんてやってられんだろうが」

倉石の目がギラリと光った。

「アンタ、本当に一課長か」

「なんだと？」

「俺たちが考えるのをやめたら誰が考えてくれるんだ？」

高嶋はぐっと顎を引いた。

「喉に蟬でも詰まったか？」

「……いいから要点を言え」

「俺は三つのヤマが同一犯だと言ってるんじゃねえ。模倣の可能性を見てるんだ。アンタの言う通り、ヤマの共通点はマル害がタチの悪い不良だったことだ。街のクズガキを憎んでいるやつ。殺してやりたいと考えるやつ。それがホシの共通点であり第一条件だ」

「率の低い想像にすぎん。それぞれのマル害にそれぞれの事情がある。個人的な恨みで殺された可能性の率の足元にも及ばんだろうが。それに忘れるな。板金工は殺しじゃあない」

「忘れてるのはアンタのほうだ。死体の喉に蟬の脱け殻が突っ込まれてたって話は脳に残る。当時は新聞もミステリーだなんだと散々書き立てた。その後も語り草になってきた。たとえ自殺だったとしても『模倣されるヤマ』の元祖にはなりうるってことだ」

高嶋は小さく仰け反った。

「なりうる？　おい、俺は誰と話をしてるんだ？　終身検視官を名乗るのならブツか根拠のある話をしろ」

倉石は表情を変えなかった。

「喉の蟬と十七年蟬が誰かの頭の中で繋がった。それで第二の事件が起こった。十七年前の専門学校生殺しだ」

「誰の頭の中でだ？」

「クズガキを殺したがっている人間。同時に十七年蟬に強い関心を抱いている人間。クロスしたところにホシがいる」

「今回の高校生殺しのホシも、ってことか？」

「おそらくな」

高嶋は吐く息とともにソファにもたれた。

「ヤキが回ったようだな。十七年蟬に強い関心……？　例えばお前か？」

「確かにな」

「お前はなんで関心を持ったんだ？」

「駐在の話を聞いたからだ」

「駐在……？」

「俺の下にいる永嶋がガキの頃にやんちゃをした。その永嶋の面倒をみて改心組にさせた駐在だ。何年かして永嶋が十七年蟬の話をしたことがあったそうだ」

「永嶋が十七年蟬の話を……？」

「そうだ」

高嶋の体が背もたれから離れた。

「ま、まさか、お前……？　永嶋を疑っているのか」

「永嶋がどんなやんちゃをしたか知ってるか」

「大体のところは聞いてる」

「木刀で八人を叩きのめして半死半生の目に遭わせた。その一カ月後に専門学校生の撲殺事件が撥ねた」

倉石が腰を上げた。

「おい、ちょっと待て」

「立原は今どこだ？」

「立原がどうした？　そんなことより――」

「どこにいるか聞いてるんだ」

「仲井川公園の現場だ」

「呼び戻せ。話したいことがある」

「無茶を言うな。やつは現場の指揮官だ。それにお前の話なんかまともに聞かん」

倉石はカチッと硬い音を立てて踵を返した。

「やつに伝えろ――俺たちは捕食者だ。進化した蟬なら、こっちも進化して食うしかねえ、ってな」

7

一週間後――。

永嶋は黒塗りセダンの後部座席に揺られていた。刑事指導官専用車だ。隣には立原が腕組みをして座っている。

どこへ連れていかれるのか。

「指導官」

「ん」

「私は疑われているということですね？」

「……」

「拳銃を調べられました」

「お前だけじゃない。職員全員のを調べた。司法解剖で三八口径らしいことはわかったが、いまだに弾が見つからないんでな」

「大崎が射殺された時間帯のアリバイも聞かれました」

「車で街を流してたんだって？」

「ええ。本当です。信じて下さい」

「着いたぞ。降りろ」

意外にも、そこは県下一高級なホテルの車寄せだった。

強張った足でホテルの回転ドアを抜けた。靴底に絨毯の柔らかさを感じた。ルクスを押さえた照明。微かに耳に届くピアノの旋律……。

「こっちだ」

立原に促されて階段を上がると結婚披露宴会場の前に出た。

「こいつを持って中に入れ」

立原は大きなストロボを装着した一眼レフカメラを永嶋に突きつけた。

「話はつけてある。宴会カメラマンを装って招待客の顔を見て回れ。見覚えのある顔があったら俺に知らせろ。わかったな」

「わかりません」

ようやく声が出た。永嶋の頭はパニックに陥っていた。「見覚えのある顔」。それは仲井川公園の現場で倉石が口にした言葉と同じだ。試されているのだ。射殺事件に関して永嶋が何かを隠していると睨み、それを炙り出そうとして――。

「早く入れ。披露宴が終わっちまうぞ」

「いったい誰の披露宴なんです？」

立て看板には「北田　安池　御両家」とある。どちらも知り合いにはいない苗字だ。

「誰でもいい。先入観を持たずに招待客の顔をチェックしろ」

背を突かれるようにして会場に足を踏み入れた。広い部屋だった。華燭の典と呼ぶにふさわしいテーブルの数と天井の高さがあった。

永嶋はおずおずと足を進めた。

宴は歓談中だ。誰も永嶋の存在を気に留めていない。

昂りは幾分収まりつつあった。早く済ませてしまおう。永嶋はそう思った。いかに理不尽な命令であろうと警察官には受忍義務がある。どのみち見覚えのある顔など見つかるはずがないのだ。ひと回りして、「なかった」と報告すればいい。

写真を撮るふりをしながら丸テーブルの間を歩いた。親戚筋の席……友人たちの席……主賓席……新郎新婦……。やはり知った顔などなかった。踵を返そうとして、だが永嶋は足を止めた。視線も止まった。その視線は仲人席に向いていた。

五十年配の品のいい紳士だった。

数秒、その顔を見つめた。

知り合いではない。会ったこともない男だ。だが――。

ふっと懐かしい思いにとらわれた。

なぜだかわからなかった。永嶋は男に背を向けて歩きだした。歩を進めるうち、足が震えだした。振り向いた。カメラを向け、男をファインダーにとらえ、ズームをきかせた。シャッターを切った。

廊下に出ると、立原の険しい顔が待ち受けていた。永嶋の顔が「成果」を語っていたからだろう、

「いたんだな?」

「……」

「仲人――そうだな?」

「わかりません……。でも……」

とりわけ似ていたというわけではなかった。だが、確かに思った。連想した。

朱美の父親――。

脳の中でごちゃ混ぜになった単語が口から溢れ出た。

「いったいあの男は……この披露宴は……私に何を……」

「この会場にいる人間のほとんどが十七年蝉に詳しい」

受け売りだと前置きして立原は続けた。

「新郎はL大理学部の講師。新婦は同じ理学部の大学院生だ。仲人は二人を教えた教授。専攻は動物行動学。わかるな？」

立原は、いや倉石はすべてを見通しているらしかった。

永嶋も今、すべてが見えた。十七年蝉の話は朱美から聞かされた。朱美がなぜ十七年蝉に興味を持ったのかは聞かなかった。ルーツは朱美の父親だった。蜜月時代に母親に吹き込み、それが朱美に伝わったのだ。

頭のいい男——母親はそう言っていた。その母親と朱美は似ても似つかぬ顔立ちだった。ならば父親似。倉石はそんな想像の線を引いたに違いなかった。

「あの男が——朱美の父親が十七年蝉のホシなんですか」

「まださっぱりだ。ただ、十七年前の専門学校生撲殺はやつかもしれん」

「十七年前の……？　なぜそんなことが言えるんです？」

「不良どものせいで娘を亡くした直後だったからだ」

一瞬、何を言われたのかわからなかった。

永嶋は激しくかぶりを振った。

「知らないはずです。朱美のことは何一つ。アパートの一件だって……。あの男が不良を憎む理由がない」

「お前だったかもしれないだろう」

「えっ……？」

「父親が憎んだ相手だよ。お前と彼女はいつも一緒だった。バイクで家まで送ってた。一度ぐらいどこかで目撃してても不思議はない、ってことだ」

永嶋は眼球を晒した。

「じゃあ、俺の代わりに専門学校生を……？」

「誰が見てもお前は一端の不良だった。違うか？」

刹那、金切り声が鼓膜をつんざいた。

〈あんた、朱美に何したの！〉

「ありえない！」

永嶋は歯を剥いて叫んだ。

朱美の父親は冷酷な男だったはずだ。朱美を身籠もった母親を執拗に脅した。堕ろせ、堕ろせ、と。

「あの男が朱美のことを愛していたはずがない。そんなことは絶対にない！」

立原は頷かなかった。

「倉石が言ってた——愛情じゃねえ。本能だ、ってな。産ませたくはなかったが、血の繋がった娘が死んでみて、死なせた不良が憎くなった」

「なぜそんな……？」

「子孫を絶たれたからだ。十七年蟬のそもそもの発生理由が希釈効果なんだろう。子孫を残すために大発生する。学者の頭の中で蟬と娘の死が繋がっちまった可能性があるってことだ」

永嶋はうなだれた。しばらく顔を上げることができなかった。

脳にぶ厚い雲がかかっていた。真相はわからない。学者の考えることなどわかりようがない。だが、はっきりとわかったことが一つあった。

「……私は首実検の道具だったんですね。これをさせるために、このためだけに倉石調査官は私を下に引っ張った……」

「やつならやるな」

立原は即答し、ややあって続けた。

「だが、それだけじゃなかったような気がする。俺が長患いをしてた時、病院で何度も医者に倉石のことを言われたんだ。すぐ来るように伝えてくれ、診察を受けろってな」

8

翌朝、またしても剣崎中央署から臨場要請が掛かった。赤ん坊の変死だった。首に赤い線があるが索条痕なのか「くびれ」なのか判別がつかない——。

道は混んでいた。ハンドルを握る永嶋。後部座席に倉石。車内の空気は重たかった。

「調査官」

永嶋はルームミラーを見て言った。

「教えていただけませんか」

「何をだ？」

「朱美の父親が今回の射殺事件のホシなんでしょうか」

「そいつはデカ連中の仕事だ」

「十七年前の専門学校生はどうなんです？　もう時効が完成してしまってますが」

「法律の都合と警察の都合は違うだろうが。真相を知っておいて損はねえ」

一拍置いて、永嶋はまた口を開いた。

「病院へは行かれないんですか」

「あ？」

「医者が来るよう再三言っていると聞きました」

「余計なことを吐いてねえで、ちゃんと前見て運転しやがれ」

「もう一つだけ教えて下さい」

「何だ？」

「なぜ私に関心を持ったんです？」

返事はなかった。

やはりそうか。ただの首実検の道具。

倉石を好きになりかけていた。ぶっきらぼうで、誰にも媚びず、職務にことのほか厳しい、この孤高の男を。

「教えて下さい」

「……………」

「駐在員に昔の話を聞いたからですか」

「手放してやれ」

「えっ……？」

「しがみついているのは女のほうじゃねえ。てめえだ」

体が硬直した。

「死人にだって自由はある。そろそろ逝かせてやれ」

胸がわっと熱くなった。

現場が近かった。濃紺のワゴン車の回りに、鑑識資材を運び出す係員の姿があった。

車が止まるとすぐ、倉石はドアを開いて道路に降り立った。永嶋は慌てて背中を追った。

「調査官——まだ聞かせてもらってません」

「何をだ」

「なぜ私を引っ張ったんです？」

「……」

「教えて下さい。お願いします」

倉石は答えなかった。だが——。

擦れ違いざま鑑識係員のキャップをさらい、そのキャップを自分で被った。目深に。

永嶋はその場に立ちすくんだ。

まさか。

あの日の鑑識係員が倉石だった。

朱美の家に駆け込んだ、十六歳の永嶋を諸手で外に突き出した係員が。

倉石は朱美の死体を見ていた。朱美に死なれて泣きわめいていた永嶋の姿も……。

視界が霞んだ。

そのぼんやりとした視界の中を槍のように細い体が遠ざかっていく。

立原の話が耳にあった。

〈いくら何でもあんなに細くはなかったんだ。今回の一件にしても、妙に感情的でやつらしくねえ。自分の体だ。先がそう長くないと知ってるのかもしれん〉

槍に、まん丸い体が合流した。

「校長、ここんところ、ウチの署の常連ですね」

「ほざくな、福饅頭」

永嶋は小さく笑った。涙を拭い、歩きだした。

〈手放してやれ〉

愛らしいえくぼが浮かんだ。そして、パンパンに膨れ上がったスーパーの袋をぶら下げた、早瀬あや子の立ち姿が見えた。

初出「小説宝石」（光文社）

赤い名刺　二〇〇〇年六月号
眼前の密室　二〇〇三年一月号
鉢植えの女　二〇〇一年五月号
餞　二〇〇一年八月号
声　二〇〇二年四月号
真夜中の調書　二〇〇二年八月号
黒　星　二〇〇二年十月号
十七年蟬　二〇〇三年七月号

二〇〇四年四月　光文社刊

*今回、文庫化にあたって、加筆・修正を行いました。

光文社文庫

臨《りん》　場《じょう》

著 者　横《よこ》 山《やま》 秀《ひで》 夫《お》

2007年9月20日　初版1刷発行
11月5日　4刷発行

発行者　駒　井　稔
印　刷　大日本印刷
製　本　D N P 製 本

発行所　株式会社　光 文 社
〒112-8011 東京都文京区音羽1-16-6
電話　(03)5395-8149　編集部
8114　販売部
8125　業務部

落丁本・乱丁本は業務部にご連絡くだされば、お取替えいたします。
ISBN978-4-334-74303-1 Printed in Japan

お願い　光文社文庫をお読みになって、いかがでございましたか。「読後の感想」を編集部あてに、ぜひお送りください。

このほか光文社文庫では、どんな本をお読みになりましたか。これから、どういう本をご希望ですか。どの本も、誤植がないようつとめていますが、もしお気づきの点がございましたら、お教えください。ご職業、ご年齢などもお書きそえいただければ幸いです。当社の規定により本来の目的以外に使用せず、大切に扱わせていただきます。

光文社文庫編集部